Lucile Charliac
Annie-Claude Motron

PHONÉTIQUE PROGRESSIVE DU FRANÇAIS

Avec 600 exercices

CLE
INTERNATIONAL

www.cle-inter.com

Descriptif d'une leçon

0 ### Titre de l'unité

Deux mots illustrent l'opposition étudiée

Une citation d'un auteur francophone présente le point étudié.

> Une explication simple,
> des schémas de prononciation.

Des renvois aux autres leçons où
la même difficulté est étudiée.

> Les graphies principales de chacun
> des sons étudiés.

EXERCICES

Sur une ou trois pages, du niveau A2★ au niveau B2★★★ du CECR, des exercices
variés : écoute, discrimination, répétition, réemploi, production dirigée ou libre…

1 Répétez.

3 Un titre donne le contexte.
Exemple : A : *phrase exemple*   B : *réponse exemple*
Un conseil de prononciation.
1. : A : ....   B : ....
2. : A : ....   B : ....
3. : A : ....   B : ....
4. : A : ....   B : ....

À vous !   Il vient d'où ?
Un exercice de dialogue ;
répéter l'exemple, puis jouer les rôles A et B.

Écriture
des jeux sur le lexique et la langue.

Lecture
des textes du patrimoine littéraire.

Direction éditoriale : Béatrice Rego
Marketing : Thierry Lucas
Édition : Odile Gandon
Mise en pages : AGD
Couverture : Miz'enpage
Illustrations : Crayonne/J. Digout
Logos : Jean Oost
Enregistrement : Quali'sons

© CLE International, 2018
ISBN : 978-209-038213-6

Achevé d'imprimer en Italie par Bona SpA en mars 2018
Dépôt légal : Juillet 2014 - N° de projet : 10244671

Avant-propos

■ La *Phonétique progressive du français* niveau intermédiaire s'adresse à des apprenants adultes et adolescents non-francophones, de niveau faux-débutant ou intermédiaire (niveaux A2 à B2 du cadre européen de compétence). Cette nouvelle édition, entièrement revue et augmentée, conserve la structure fondamentale de l'ouvrage, tout en la complétant par de nouveaux outils communicatifs.

La *Phonétique progressive du français* peut s'utiliser en complément d'une méthode de langue, ou plus ponctuellement pour étudier une difficulté particulière. Elle peut également servir de guide d'auto-apprentissage. Il ne s'agit pas d'un ouvrage de phonétique théorique et les explications données visent à être comprises d'un public non-francophone et non spécialiste. Les exercices sont intégralement enregistrés pour pratiquer en classe ou à la maison.

– La première partie de ce manuel est divisée en 8 unités consacrées aux spécificités du français oral.

– La seconde partie est composée de chapitres qui correspondent aux divisions traditionnelles des sons du français. Ils sont introduits par quelques explications spécifiques et par des tests simples « *Quelles sont vos difficultés ?* », qui permettent à l'apprenant de cerner ses difficultés propres. Chaque chapitre est divisé en unités de travail autonomes qui présentent les sons deux par deux afin de remédier aux confusions les plus fréquentes et les plus importantes pour la communication.

Ce volume s'inscrit dans la collection *Progressive*, dont il respecte le principe : la page de gauche de chaque unité, introduite par des citations d'auteurs francophones, présente l'articulation des sons, met en évidence les traits distinctifs à l'aide d'indications synthétiques et de schémas clairs et donne les graphies principales. Les exercices sont de nature aussi variée que possible : perception et discrimination, répétition, transformation, dialogues à deux tours, lecture, écriture... Les lectures, choisies dans le patrimoine littéraire, ont leur place dans cet ouvrage car elles sont un exercice phonétique en elles-mêmes.

Les exercices sont proposés dans un ordre de difficulté croissante. Il est conseillé à tous les étudiants de commencer par les exercices les plus faciles, indiqués dans les chapitres traitant de l'articulation par les symboles ★, puis de poursuivre par ★ ★, pour terminer par ★ ★ ★.

■ **Dans une visée pédagogique et généralisante**, quelques simplifications se sont imposées:

– les liaisons éventuellement réalisables en diction poétique ont été présentées comme impossibles, les liaisons signalées comme facultatives sont réalisables en style soutenu;

– certaines séquences de /ə/ ont été présentées comme figées afin de maintenir l'opposition pertinente dans le cadre de la leçon;

– les intonations, dont le fonctionnement très complexe a été présenté synthétiquement en début d'ouvrage, sont contextualisées dans les exercices, ce qui encourage leur apprentissage par l'imitation. On pourra trouver plus d'explications sur les intonations dans la *Phonétique progressive* niveau avancé, des mêmes auteurs.

■ **Dans une visée communicative,** les phrases des exercices se situent en style courant ou familier. On signale, dans la mesure du possible, les variations éventuelles dues à un changement de style. De nombreuses expressions caractéristiques de l'oral sont introduites afin de replacer les phrases dans un contexte vivant correspondant à la réalité des Français.

– Le chapitre « **Votre langue maternelle** » permet à l'étudiant d'aborder les unités dans un ordre de priorité variable en fonction des difficultés principales liées à sa langue maternelle.

– En fin d'ouvrage, de **activités communicatives** permettent de travailler la compréhension et la production orale et écrite, en classe ou en auto-apprentissage.

– Le **lexique** p. 188 (auquel renvoient les mots surlignés en rose) présente les expressions les plus difficiles à comprendre et à trouver dans un dictionnaire traditionnel ; il indique par * celles qui relèvent d'un style plus familier.

– Les **index** permettent de retrouver les notions phonétiques et grammaticales ainsi que les auteurs cités.

– Les **corrigés** et **textes des enregistrements** des exercices se trouvent dans un livret vendu séparément.

Symboles utilisés

★	Niveau 1 (élémentaire) A2
★ ★	Niveau 2 (intermédiaire) B1
★ ★ ★	Niveau 3 (avancé) B2

lèvres très tirées bouche très fermée	lèvres tirées bouche presque ouverte	lèvres légèrement tirées bouche ouverte	lèvres très arrondies bouche fermée	lèvres arrondies bouche presque ouverte
lèvres très tirées bouche fermée	lèvres tirées bouche presque fermée	lèvres très arrondies bouche presque fermée	lèvres très arrondies bouche très fermée	lèvres légèrement arrondies bouche bien ouverte

⚠	Difficultés particulières
*	Indique un mot, une expression ou une intonation qui appartiennent à un style plus familier.
mot	Indique qu'un mot ou une expression figure dans le lexique.
°	Indique un h « aspiré ».
∟	Enchaînement consonantique
‿	liaison
⁀	Enchaînement vocalique
(e)	Lettre non prononcée
/ / ou [ ]	Contiennent des symboles de l'alphabet phonétique international

Certains symboles phonétiques ressemblent à des lettres

/paʀ/ est la transcription phonétique de *par*

D'autres symboles phonétiques sont plus difficiles à reconnaître

/ʒə/ est la transcription phonétique de *je*

D'autres symboles phonétiques peuvent être confondus avec des lettres de l'alphabet

/kuzy/ est la transcription phonétique de *cousu*

Sommaire

Votre langue maternelle

En fonction de votre langue maternelle, vous pouvez vous aider des conseils ci-dessous pour choisir les leçons les plus intéressantes pour vous. N'hésitez pas à vous reporter aux pages d'introduction (p. 11 à 27) pour mieux comprendre les consignes des exercices.

Si votre langue ne figure pas dans la liste ci-dessous, faites les petits tests *Quelles sont vos difficultés ?* p. 31, 49, 89, 117, 135, 159 et 169. Lorsque l'un d'entre eux vous semble plus difficile, étudiez la leçon correspondante.

▬▬▬ Langues germaniques

- **Vous parlez l'anglais** : dans toutes les leçons, veiller aux enchaînements et à l'égalité syllabique ; travailler particulièrement :
  – toutes les voyelles, surtout les voyelles composées et le /ə/ ; les voyelles devant les consonnes /m/, /n/ et /ɲ/ ;
  – les consonnes occlusives en finale, et les occlusives sourdes en général ; les consonnes constrictives /z/, /ʒ/ et /v/ finales et le /ʀ/ ; ne pas prononcer le « *n* » des voyelles nasales devant les consonnes constrictives ;
  – les semi-consonnes.
    Les Américains veilleront particulièrement à ne pas diphtonguer les voyelles.

- **Vous parlez l'allemand** : dans toutes les leçons, veiller aux enchaînements et aux intonations ; travailler particulièrement :
  – les voyelles composées, en particulier le /y/ et le /ə/ ; les deux voyelles nasales /ɑ̃/ et /õ/ ;
  – les consonnes occlusives en finale, et les occlusives sourdes en général ; les consonnes constrictives /z/, /ʒ/ et /v/ et le /ʀ/ devant consonne ;
  – les semi-consonnes.

- **Vous parlez le néerlandais** : les mêmes difficultés que celles de l'allemand ;
  – insister sur les consonnes constrictives /s - ʃ/, /z - ʒ/ et /sj - zj/.

- **Vous parlez une langue nordique (scandinave) : danois, islandais, norvégien, suédois...** : dans toutes les leçons, veiller aux enchaînements et aux intonations assertive et exclamative ; travailler particulièrement :
  – les voyelles composées ;
  – les consonnes /b/, /d/, /g/, /z/, /ʒ/ et /v/ en toutes positions et le /ʀ/ devant consonne ;
  – les semi-consonnes.
    Les Suédois veilleront particulièrement à la mise en place du schéma rythmique.
    Les Islandais insisteront sur les consonnes constrictives /s - ʃ/ et /z - ʒ/.

■■■ Langues romanes

• **Vous parlez l'italien, le roumain** : dans toutes les leçons, veiller aux intonations assertive et exclamative ; travailler particulièrement :
  – les voyelles composées et les voyelles nasales ;
  – ne pas ajouter de voyelle après les consonnes finales, ne pas prononcer le « s » /z/ devant consonne nasale ; les groupes /ks - gz/ et le /ʀ/ ;
  – les semi-consonnes.

• **Vous parlez le portugais** : les mêmes difficultés que celles des autres langues romanes ;
  – insister sur la voyelle nasale /ɛ̃/.
     Les Brésiliens veilleront à la prononciation de /t-d/ et du /ʀ/.

• **Vous parlez l'espagnol** : tendance à prononcer les mots tels qu'ils s'écrivent ; travailler particulièrement :
  – toutes les voyelles ainsi que les voyelles nasales ; veiller à ne pas prononcer le « n » des voyelles nasales ;
  – les consonnes constrictives ; veiller à la différence de prononciation entre /b/ et /v/ ;
  les groupes /ks - gz/, et le /ʀ/, ne pas ajouter de voyelle devant /s/ + consonne ;
  – les semi-consonnes.

■■■ Langues slaves

• **Vous parlez le polonais, le tchèque...** : dans toutes les leçons, veiller aux enchaînements et à ne pas multiplier les accents toniques ; travailler particulièrement :
  – toutes les voyelles, principalement les voyelles composées et les voyelles nasales ;
  – difficultés particulières sur les consonnes finales /b/, /d/, /g/, /z/, /ʒ/ et /v/ ainsi que le /ʀ/ ;
  – les semi-consonnes.

• **Vous parlez le serbo-croate, le russe...** : les mêmes difficultés que celles des autres langues slaves ;
  – se méfier des ressemblances de certaines lettres de l'alphabet cyrillique avec des lettres de l'alphabet latin dont la prononciation est totalement différente ;
  – veiller à ne pas prononcer le « n » des voyelles nasales.
     Les Russes veilleront à prononcer « ou » /u/ et non /ju/.

■■■ Langues agglutinantes

• **Vous parlez le coréen** : dans toutes les leçons, veiller aux enchaînements et à la mise en place du schéma rythmique ; travailler particulièrement :
  – toutes les voyelles et particulièrement le /y/ ;
  – les consonnes constrictives, l'opposition /b - v/ et /p - f/, ainsi que le /ʀ/ ; ne pas ajouter de voyelle après les consonnes finales ;
  – les semi-consonnes.

- **Vous parlez le japonais** : dans toutes les leçons, veiller aux enchaînements et à la mise en place du schéma rythmique ; travailler particulièrement :
  - toutes les voyelles (ne pas les prononcer trop brèves) ;
  - les consonnes, en particulier les consonnes finales (ne pas ajouter de voyelle après les consonnes finales) ; les consonnes qui se suivent ; /b - v/, /s - ʃ/ et /l - ʀ/.

- **Vous parlez le turc** : tendance à prononcer les mots tels qu'ils s'écrivent et à modifier la valeur d'une voyelle en fonction de celle qui suit (harmonie vocalique) ;
  - difficultés avec les consonnes qui se suivent, particulièrement en début de mot ; le /ʀ/.

- **Vous parlez le finnois** : tendance à prononcer les mots tels qu'ils s'écrivent ; dans toutes les leçons, veiller aux enchaînements et à l'intonation assertive ; travailler particulièrement :
  - les voyelles composées et en particulier le /ə/ ;
  - les consonnes finales /b/, /d/, /g/, /z/, /ʒ/ et /v/, la différence /s - ʃ/ et /z - ʒ/ ainsi que le /ʀ/.

- **Vous parlez le hongrois** : dans toutes les leçons, veiller aux différentes intonations ; travailler particulièrement :
  - les enchaînements ;
  - les voyelles composées et particulièrement le /ə/.

▬▬▬ Autres langues

- **Vous parlez l'arabe** : dans toutes les leçons, veiller particulièrement aux enchaînements, à l'égalité syllabique et à la différence entre les intonations assertive et exclamative ; ne pas prononcer les « h » muets ; travailler particulièrement :
  - toutes les voyelles, principalement /i - e/, /e - a/ et /i - y/ ;
  - les consonnes /b/, /d/, /g/, /z/, /ʒ/ et /v/ et surtout la différence entre /p - b/, ainsi que le /ʀ/ ;
  - les semi-consonnes.

- **Vous parlez une langue chinoise** (mandarin, cantonais, ...) : dans toutes les leçons, veiller aux enchaînements, à la mise en place du schéma rythmique et à l'intonation assertive ; travailler particulièrement :
  - ne pas nasaliser les voyelles orales ;
  - travailler les semi-voyelles et la consonne /v/ ;
  - toutes les consonnes, particulièrement les consonnes occlusives et les consonnes qui se suivent.

- **Vous parlez le farsi** (persan) : dans toutes les leçons, veiller à l'intonation assertive ; travailler particulièrement :
  - toutes les voyelles ;
  - les consonnes finales /b/, /d/, /g/, /z/, /ʒ/ et /v/ ; le /ʀ/ en groupe consonantique (veiller à ne pas ajouter de voyelle intermédiaire) ;
  - les semi-consonnes, en particulier le /w/.

- **Vous parlez le grec** : dans toutes les leçons, veiller à l'intonation assertive et exclamative ; travailler particulièrement :
  – toutes les voyelles, principalement la différence /e - ɛ/ et les voyelles composées ;
  – difficultés particulières sur les consonnes constrictives et la différence /s - ʃ/ et /z - ʒ/, les consonnes finales /b/, /d/ et /g/, et le /ʀ/ ;
  – les semi-consonnes.

- **Vous parlez l'hébreu** : dans toutes les leçons, veiller aux enchaînements, à la mise en place du schéma rythmique et aux intonations assertive et exclamative ; travailler particulièrement :
  – toutes les voyelles et plus particulièrement le /ə/ ;
  – les consonnes qui se suivent et le /ʀ/ ;
  – les semi-consonnes.

I – LES CARACTÉRISTIQUES DU FRANÇAIS ORAL

La prononciation du français est caractérisée par une forte tension, une antériorité des voyelles et une grande richesse consonantique. On peut compter :
> – 16 voyelles (voir p. 28 et suivantes), dont une voyelle au comportement difficile à assimiler (le /ə/ instable, voir p. 22) et 4 voyelles nasales (voir p. 88 et suivantes),
> – 17 consonnes (voir p. 114 et suivantes),
> – 3 semi-consonnes (voir p. 168 et suivantes).

Le schéma rythmique se caractérise par l'égalité syllabique (voir p. 12) et par un rapport étroit entre le groupe grammatical et l'unité accentuelle (voir p. 14) ; la désaccentuation du mot au sein du groupe rajoute au caractère continu et très « lié » du français parlé.

Le français parlé se caractérise aussi par une grande **continuité** entre les mots de la chaîne : un mot commençant par une voyelle n'est pas détaché du mot qui le précède dans la phrase ; une syllabe orale peut ainsi se former à la limite de deux mots (p. 16 à 21).

L'**intonation**, corrélée au schéma rythmique, fait l'objet de nombreuses variations individuelles : elle repose toutefois sur des schémas tout à fait généraux (voir p. 26) qu'on retrouve dans les autres langues, à moins qu'ils ne soient perturbés par l'expressivité et l'affectivité.

On trouvera des explications et des exercices complémentaires sur les spécificités du français oral dans la *Phonétique progressive du français,* niveau avancé.

■■■■ La prononciation et l'orthographe

L'orthographe des mots se caractérise, entre autres, par l'existence de lettres « muettes », c'est-à-dire de lettres finales non prononcées.

> 1 : *Le cyclist(e) arriv(e) très fatigué.*
> 2 : *La cyclist(e) arriv(e) très fatigué(e).*
> 3 : *Les cyclist(es) arriv(ent) très fatigué(es).*

Dans ces trois exemples, quelle que soit la lettre finale de « *fatigué(e)(s)* », ce mot se prononce donc de la même façon avec les trois orthographes.

Dans les exemples 1 et 2, le « *e* » final du verbe « *arriv(e)* » n'est pas prononcé, et dans l'exemple 3, le « *nt* » du pluriel n'est pas non plus prononcé ; ce mot se prononce donc de la même façon dans les trois exemples.

1

Les syllabes du mot et l'égalité syllabique

Ce qui constitue le rythme le plus caractéristique du français, c'est la succession régulière des syllabes. [...] Les syllabes sont perçues comme égales parce qu'elles ont toutes à peu près même force (intensité) et toutes à peu près même durée sauf la dernière.

L'égalité syllabique a fait comparer le rythme du français aux perles d'un collier, aux grains d'un chapelet, etc.

Pierre Delattre (1903-1969), Middlebury College, Vermont, 1951.

> Comme dans beaucoup d'autres langues, le nombre de syllabes correspond toujours, à l'oral, au nombre de voyelles prononcées.

■ **En français, on ne prononce pas toutes les voyelles écrites : il y a donc moins de syllabes prononcées que de syllabes écrites.**

b<u>a</u>rb<u>u</u> = 2 syllabes   *b<u>a</u>rb(e)* = 1 syllabe

■ **Dans la syllabe, la voyelle peut**

– n'être précédée d'aucune consonne :   *Ah !*
– elle peut également être précédée d'une consonne :   *tu*
– ou d'une consonne + une semi-consonne[1] :   *vieux   lui   Louis*
– ou de deux consonnes :   *plus   très   psy*
– ou de deux consonnes + une semi-consonne (/ɥ/ ou /w/) (à condition que la deuxième soit un /l/ ou un /R/ et forme ainsi un groupe consonantique)[2] :   *trois   pluie*

■ **Toutes les syllabes qui se terminent avec une voyelle s'appellent « syllabe ouverte ».**

Toutes les syllabes peuvent comporter une consonne finale ou plus ; on les appelle alors « syllabes fermées ».

| *art* | *coule* | *cuite* | *plaire* | *croire* |
| *entre* | *verte* | *croître* | *spectre* | |

> Toutes les syllabes à l'intérieur d'un mot ont la même durée.
> C'est le principe de **l'égalité syllabique.**

---

1. La lecture poétique impose parfois une diérèse, c'est-à-dire une dissociation entre une semi-consonne et la voyelle qui la suit ; on prononce alors deux syllabes au lieu d'une seule.

La jouissance ajoute au désir de la force Charles Baudelaire (1921-1867), *Le Voyage.*

Je rêve de vers doux [...]

De vers d'une ancienne étoffe, exténuée Albert Samain (1858-1900), *Au jardin de l'Infante.*

2. Un groupe consonantique + /j/ forment deux syllabes, c'est une diérèse : *Triomphe   plier*

1 Combien de syllabes entendez-vous ?

	1 syll.	2 syll.	3 syll.	4 syll.	5 syll.		1 syll.	2 syll.	3 syll.	4 syll.	5 syll.
Exemple : *histoire*		X									
1. *phonétique*			X			6. *Algèbre*		X			
2. *Science*	Ⓞ	X				7. *Géographie*				X	
3. *Art*	X					8. *civilisation*					X
4. *Littérature*				✓		9. *maths*	X				
5. *Grammaire*		X				10. *Dessin*		X			

2 Répétez les mots de l'exercice 1.

3 Écrivez le nombre de syllabes que vous prononcez, puis écoutez la prononciation standard.

	Je prononce	J'entends		Je prononce	J'entends
Exemple : *piano*	*2 syllabes*	*2 syllabes*			
1. clavecin	2	2	6. harmonica	3	3 ④
2. flûte	1	1	7. batterie	3	2 ②
3. trompette	2	2	8. harpe	1	1
4. clarinette	3	3	9. violon	3	3 ②
5. orgue	1	1	10. accordéon	4	4

4. Répétez les mots avec la prononciation standard.

5. Répétez.

1. (2 syllabes) — Madame – Monsieur
2. (3 syllabes) — Certain(e)ment – Parfait(e)ment – Complèt(e)ment.
3. (4 syllabes) — Gouvernement – Exactement – Évidemment. ⊗
4. (3 syllabes / 4 syllabes) — Excus(e)-moi ! – Excusez-moi !

À vous ! Copains, copines…

Exemple *A : C'est Judith ou Myriam, ta copine ?* *B : Pas Judith, Myriam !*
1. A : C'est Rahina ou Juliette, ta copine ? B : *Pas Rahina, Juliette*
2. A : C'est Augustin ou Timéo, ton copain ? B : *Pas Augustin, Timéo*
3. A : C'est Jérémie ou Pierre-Alexandre, ton copain ? B : *Pas Jérémie, Pierre-Alexandre.*

6 Mots tronqués. Dans un style familier, les Français utilisent souvent des mots ou expressions tronquées. Dites la forme développée, puis écoutez-la.

Exemple : *Le *resto = le restaurant*

1. Mon *appart. = *appartement*
2. Le *p'tit déj. = *petit-déj*
3. Son *coloc. = *colocataire*
4. Ton *anniv. = *anniversaire*
5. *À plus ! = *À plus tard.*
6. *Au troc. = *Au troc* ⑦ *(troquet)*

Lecture

Je suis le drapeau, la loi, la liberté, le droit, la prison, le diable et le bon Dieu, enfin. Vous voyez bien – tout.

Sony Labou Tansi, *Je soussigné cardiaque*, 1981 (Congo).

2

La syllabe accentuée dans le mot[1] et la désaccentuation

– Répète un peu voir, qu'il dit Gabriel
– [...] Répéter un peu quoi ?
– [...] Skeutadittaleur. *

Raymond Queneau (1903-1976), *Zazie dans le métro.*

* = *ce que tu as dit tout à l'heure.* (exemple littéraire de « mot unique »).

> Le mot est en principe **accentué sur la dernière syllabe.** L'accent[2] est un accent de durée plutôt que d'intensité.

■ **Les syllabes sur lesquelles porte l'accent sont plus longues (et non pas plus fortes) que les autres.**

*Mon**sieur***   *bravo*   *paël**la***

> Le mot doit être désaccentué s'il n'est pas à la fin d'un groupe syntaxique :
> on parle ainsi d'accent de groupe syntaxique
> « *au point que celui qui ignore la langue le prend pour un mot unique.*[3] »

■ **On distingue trois types de groupes syntaxiques majeurs, qui sont aussi des unités de sens.**
  – **Groupe nominal :**   *un cinéma multiplex*
  – **Groupe verbal :**   *ouvrira bientôt*
  – **Groupe prépositionnel :**   *à dix minutes de chez moi.*

La phrase composée des trois groupes syntaxiques majeurs ci-dessous a donc trois accents principaux :

     *Un cinéma multi**plex** ouvrira bien**tôt** à dix minutes de chez **moi**.*

■ **Les mots-outils** (articles et adjectifs antéposés, pronoms personnels, prépositions, conjonctions, *un, à, dix, de, chez, ...*), lorsqu'ils se rencontrent à l'intérieur du groupe syntaxique sont totalement désaccentués.

■ **Les autres mots internes au groupe sont partiellement désaccentués :** les noms *cinéma* dans le groupe nominal et *minutes* dans le groupe prépositionnel ainsi que le verbe *ouvrira* dans le groupe verbal perdent leur accent dans un discours prononcé à vitesse normale.

     *Un ci<u>né</u>ma multi**plex** ou<u>vri</u>ra bientôt à dix mi<u>nutes</u> de chez **moi**.*

---

1. Il s'agit de l'accent tonique et non de l'accent orthographique (aigu, grave ou circonflexe).
2. Il ne faut pas confondre l'accent ordinaire et l'accent d'insistance ou didactique qui marque le début des mots que l'on veut mettre en valeur : *C'est 'passionnant !*
3. Pierre Fouché (1937-1962), *Phonétique historique du français.*

EXERCICES

 1 **Répétez ces noms comme les disent les Français.**

(x) *accentuate en bold.*

1. Chica**go**.   **2.** Vladivo**stok**.   **3.** Pé**kin**.   **4.** Buenos-**Aires**.   **5.** Istan**bul**.   **6.** Le Nicara**gua**.

7. Les États-U**nis**.   **8.** La Nouvelle-Zé**lande**.   **9.** L'Alle**magne**.   **10.** Le Séné**gal**.

 2 **Répétez ces groupes nominaux.**

1. Une **blonde**. – Une jolie **blonde**. – Une très jolie **blonde**.

2. Un musicien. – Un grand musicien. – Un très grand musicien.

3. Son copain. – Son p(e)tit copain. – Son dernier p(e)tit copain.

4. Tes parents. – Tes grands-parents. – Tes arrière-grands-parents.

 3 **Répétez ces groupes nominaux en déplaçant l'accent rythmique sur la dernière syllabe.**

1. Un ma**tin** – Un p(e)tit ma**tin** – Un p(e)tit matin **frais**.

2. Une soirée. – Une soirée d'été. – Une chaude soirée d'été.

3. Une nuit. – Une belle nuit. – Une belle nuit étoilée.

4. Une journée. – Une longue journée. – Une longue journée de travail.

4 **Indiquez les accents rythmiques de ce message, lisez-le, puis écoutez-le.**

Bonjour. Vous êtes bien au 06 22 44 77 99. Je ne peux pas vous répondre pour l'instant ; merci de me laisser un message. À bientôt !

5 **Composez votre propre message téléphonique. Exercez-vous à le dire en respectant le rythme.**

À vous !   **Il vient d'où ?**
Exemple : *A : Il est français, ce styliste ?*   *B : Oui, c'est un styliste français.*
1. A : Il est canadien, ce réalisateur ?   **B :** *Oui, c'est un réalisateur canadien*
2. A : Il est chinois, cet architecte ?   **B :** *Oui*
3. A : Il est anglais, ce groupe ?   **B :** *Oui*
4. A : Il est allemand, ce peintre ?   **B :** *Oui*

Lecture

Toute une vie est empaquetée au fond de cette pièce : un transistor, un cintre, une veste, de vieilles chaussures, un paquet de lessive, l'oiseau accablé, une tête de mouton dans un sac en plastique, un souvenir encadré, un mur fatigué, un mouchoir sale dans la poche du blouson, une boîte d'allumettes, des piles usées, une lampe sur une chaise, une bouteille d'eau de mer, et un ballon plein de vent du pays.

Tahar Ben Jelloun (1944-, Maroc)

3

La continuité : l'enchaînement vocalique

« Tu‿y penses depuis dix minutes ; qu'est-ce que tu‿as décidé ?
Oui‿ou non, viens-tu‿aux vue(s)⃰‿avec moi ? »

Gabrielle Roy (1909-1983), *Bonheur d'occasion,* Montréal.

⃰ vues = cinéma, en français québécois

■ **En français oral, on a tendance à attacher les mots les uns aux autres**, de telle sorte qu'on ne retrouve pas le découpage graphique entre les mots.

> Si un mot finit par une voyelle prononcée et que le mot suivant commence par une voyelle, on tend à passer d'une voyelle à l'autre sans interruption de la voix. C'est **l'enchaînement vocalique**.
>
> Hug**o‿e**st là.

La voyelle « o » de *Hugo* est clairement prononcée et enchaînée avec la voyelle de *est.*

■ **Il y peut y avoir enchaînement vocalique entre deux voyelles identiques,** ce qui représente une difficulté particulière de réalisation et de perception. Dans ce cas, on tend à utiliser une modulation du ton entre les deux voyelles.

Hug**o‿au**r**a‿hu**it ans bientôt.

■ **Il n'y a pas de limite a priori au nombre d'enchaînements vocaliques dans la phrase.**

Emm**a‿a‿e**ù‿**u**ne idée brillante !

■ **Les enchaînements vocaliques se font à l'intérieur du groupe syntaxique et entre groupes syntaxiques.**

Un vent viol**ent‿a‿a**bîm**é‿u**n bâtim**ent‿en** construction.

■ **Lorsque la liaison n'est pas réalisée, elle peut être remplacée par un enchaînement vocalique.**

Clém**en(t)‿a**tt**en(d)‿u**n copa**i(n)‿à** l'entrée du cinéma.

E X E R C I C E S

1 Dis, maman… Répétez. *(011)*

1. Pourquoi est-c(e) que le ciel est bleu ?

2. Pourquoi est-ce que la nuit est noire ?

3. Pourquoi est-ce que les étoiles brillent ?

4. Pourquoi est-ce que les nuages sont blancs ?

2 Mes loisirs. Répétez puis dites la phrase avec l'adjectif. *(012)*

1. J'ai lu un manga.   amusant ....

2. J'ai entendu un CD.   épouvantable ....

3. J'ai lu une BD.   étonnante ....

4. J'ai vu une vidéo.   originale ....

3 Réponds-moi ! Répétez la phrase en style familier, puis dites-la en français courant. *(013)*

Exemple : A : *T(u) es où   B : Tu e(s) où ?

1. A : *T'étais où ?   B : ....

2. A : *T'allais où ?   B : ....

3. A : *T'iras où ?   B : ....

4 Ton dossier administratif. Exemple : A : On te d(e)mande une fiche d'état civil. B : J'en ai déjà envoyé une ! *(014)*
Dites bien la continuité.

1. A : On exige un CV.   B : ....

2. A : Il faut aussi une photocopie du pass(e)port.   B : ....

3. A : Il faut envoyer un justificatif de domicile.   B : ....

4. A : Et une facture d'électricité !   B : ....

À vous !   Moi aussi ! *(015)*

Exemple : A : Ce spectacle m'a étonnée.   B : J'ai été étonnée aussi.

1. A : Ce film m'a émue.   B : ....

2. A : Cette nouvelle m'a ébranlée.   B : ....

3. A : Cette photo m'a effrayée.   B : ....

4. A : Cette ambiance m'a étouffée.   B : ....

5. A : Cette attitude m'a excédée.   B : ....

Lecture

La corruption est en force, le talent est rare. Ainsi, la corruption est l'arme de la médiocrité qui abonde, et vous en sentirez partout la pointe.

Honoré de Balzac (1799-1850), *Le Père Goriot.*

4

La continuité : l'enchaînement consonantique

Que ton vers soit la bo**nn**(e) **a**venture
Épar**s**(e) **au** vent crispé du matin
Qui va fleurant la men**th**(e) **et** le thym…
Et tout le res**t**(e) **est** littérature.

Paul Verlaine (1844-1896), *Jadis et naguère*.

■ **En français oral, on a tendance à attacher les mots les uns aux autres,** de telle sorte qu'on ne retrouve pas le découpage graphique entre les mots.

> Si, dans la prononciation, un mot finit par une consonne, et que le mot suivant commence par une voyelle, on tend à former une même syllabe avec ces deux sons.
> C'est **l'enchaînement consonantique**.
> *Le mu**r** est mouillé. La te**rr**(e) est sèche. Il se**r**(t) **un** café.*

Dans ces deux exemples, la consonne que l'on enchaîne (le « r ») est suivie d'une lettre non prononcée (le « e » final de *terre* ou le « t » final de *sert*) et l'enchaînement consonantique est le même que dans : *Le mu**r est** mouillé.*

■ **Si un mot se termine par deux consonnes prononcées, l'enchaînement se fait avec la deuxième des deux consonnes.**

*J'accep**te i**mmédiatement.*

■ **Si les deux consonnes forment groupe (la deuxième consonne est « r » ou « l »), l'enchaînement se fait avec les deux consonnes**

*Ce li**vre est** passionnant !*

■ **Il n'y a pas de limite a priori au nombre d'enchaînements consonantiques dans la phrase.**

*Jea**nne en**t**re av**e**c u**ne a**mie.*

■ **Les enchaînements consonantiques se font à l'intérieur et entre groupes syntaxiques.**

*J'achè**te u**ne au**tre i**mpriman**te au**jourd'hui !*

■ **Il ne faut pas confondre l'enchaînement consonantique et la liaison.**

– Dans le cas de l'enchaînement consonantique, la consonne enchaînée n'est jamais muette : elle est prononcée devant une autre consonne ou devant une pause.

*I**l** arrive.   I**l** part.   Part-i**l** ?*

À la différence de la liaison (voir p. 21) l'enchaînement consonantique est toujours obligatoire.
– Lorsque la liaison n'est pas réalisée, elle peut être remplacée par un enchaînement consonantique.

*Mes frè**re**(s) **et** sœurs*

E X E R C I C E S

(016) **1** Ce téléphone... Répétez.

1. Ton porta**bl**(e) **a** sonné.

2. La lign(e) est mauvaise.

3. Le répondeur est saturé.

4. Ce téléphon(e) est nul !

(017) **2** Une œu**vr**e intéressante. Indiquez les enchaînements consonantiques, lisez les phrases puis écoutez l'enregistrement.

1. Davi**d** organi**se** u**ne** exposition.

2. Il invite une artiste allemande.

3. Karin utilise une technique ancienne

4. pour ses sculptures en bronze.

5. Les critiques admirent son talent.

(018) **3** Répétez le féminin, puis transformez au masculin.

1. Cette arti**st**(e) est mor**t**(e) **à** Paris.   Masculin ? ....

2. Cette élève est forte en maths.   Masculin ? ....

3. Tu es sourde à ce qu'on te dit.   Masculin ? ....

4. Tu es trop lourde à porter...   Masculin ? ....

(019) **4** Indicatif / subjonctif. Répétez la première phrase, puis complétez la deuxième.

1. Il par(t) en vacances.   Il faut ....

2. Il dort à l'hôtel.   Je suis content ....

3. Il perd encore.   Je regrette ....

4. Il me sert enfin.   Je voudrais ....

(020) **À vous !** À une autre.

Exemple : *A : C'est à toi ? B : Non, c'est à un(e) autr(e) étudiante.*

1. A : C'est pour toi ?   **B :** ....

2. A : C'est de toi ?   **B :** ....

3. A : C'est chez toi ?   **B :** ....

4. A : C'est contre toi ?   **B :** ....

Lecture

Je fais souvent ce rêve étrange et pénétrant
D'une femme inconnue, et que j'aime, et qui m'aime
Et qui n'est, chaque fois, ni tout à fait la même
Ni tout à fait une autre, et m'aime et me comprend.

Paul Verlaine (1844-1896), *Mon rêve familier.*

5 La continuité : la liaison

Malbrough s'en va-**t**-en guerre, [...]
Il reviendra **z**-à Pâques ou à la Trinité,
Chanson populaire

■ **En français oral, on a tendance à attacher les mots les uns aux autres,** de telle sorte qu'on ne retrouve pas le découpage graphique entre les mots.

> Certaines consonnes finales de mot (muettes en général) peuvent, dans certains cas, être prononcées avec la voyelle initiale du mot qui suit. C'est la **liaison**.   *Ils͜ arrivent.*

■ **La liaison est obligatoire** lorsque la cohésion entre les mots est maximale, c'est-à-dire :
1. à l'intérieur des mots composés, des groupes figés :
   Les /z/ États-/z/ Unis.   De plus /z/ en plus.
2. à l'intérieur du groupe nominal, avant le nom :
   Des /z/ idées.   Chez /z/ eux.   Chez /z/ un /n/ excellent copain.
3. entre l'adjectif et l'adverbe monosyllabique qui le détermine : *Très /z/ intéressant.*
4. à l'intérieur du groupe verbal, avant le verbe : *Quand /t/ ils /z/ en /n/ étaient d'accord....*
5. entre le pronom inversé et le verbe : *Prends-/z/ en !   Vas-/z/ y !   Qu'ont-/t/ ils fait ?*

■ **La liaison est généralement impossible** entre un mot accentué et le mot suivant[1].
1. entre groupes différents :
   Le tem(ps) est beau.   L'u(n) ou l'autre.   Luca(s) et Sabrina.
2. à l'intérieur d'un groupe, avec un mot accentué :
   Un dossie(r) incomplet.   Je boi(s) un peu d'eau.   Prends-e(n) assez !
3. Remarque : la liaison est également impossible avec les mots suivants :
   – « et », « selon », « sinon »
        Mon frère e(t) une amie.   Selo(n) un spécialiste, ...
   – les adverbes polysyllabiques et interrogatifs:
        Vraimen(t) intéressant.   Quan(d) irez-vous à Paris ?
   – les mots commençant par *h* « aspiré »[2] : la liaison est alors impossible et remplacée par un enchaînement vocalique[3].
        Le(s) °Halles   U(n) °héros   E(n) °haut

■ **Il existe un troisième type de liaison, la liaison facultative,** qui tend à être réalisée en style plus soutenu (voir p. 24).

----

1. Lorsque la liaison n'est pas réalisée, elle est remplacée par un enchaînement vocalique (voir p. 16) ou consonantique (voir p. 18), selon les cas.
2. Pour savoir si le « *h* » « aspiré », on doit consulter le dictionnaire.
3. Les adjectifs numéraux ordinaux « *un* », « *une* » et « *onze* » se comportent comme s'ils commençaient par un h aspiré.

A – Liaisons obligatoires

021 **1** **Répétez.**

1. Son /n/ ordinateur.

2. Son premier /r/ ordinateur.

3. Son /n/ ancien /n/ ordinateur.

4. Son plus /z/ ancien /n/ ordinateur.

5. On /n/ accepte.

6. Ils /z/ acceptent.

7. Ils /z/ en /n/ acceptent.

8. Ils /z/ en /n/ ont bien /n/ accepté.

022 **2** **Faites précéder le nom « ami » de l'adjectif proposé, écoutez la réponse et répétez-la.**

Exemple : *U(n)*   *Un /n/ ami.*

1. Six .... – **2.** Vingt .... – **3.** Un grand ....

4. Un nouveau .... – **5.** Un vieux ....

023 **3** **On y va.** Exemple : *A : On a du temps ? B : Oui, on /n/ en /n/ a !*

Dites bien la liaison avec « on ».

1. **A :** On va au cinéma ?   **B :** ....

2. **A :** On prend des billets ?   **B :** ....

3. **A :** On attend des copains ?   **B :** ....

B – Liaisons impossibles

024 **4** **Répétez. Dites bien l'enchaînement vocalique qui remplace la liaison.**

1. Un printem(ps) humide.   2. Un temps idéal.   3. Un endroit idyllique.

025 **5** **Un restaurant étoilé.** Exemple : *Un restaurant – Un restauran(t) à la mode*

Dites le nom, puis le groupe nominal, écoutez la réponse, puis répétez-la.

1. Un cuisinier – Un cuisinier exceptionnel. ....

2. Un vin – Un vin inoubliable. ....

3. Une addition – Une addition excessive ....

026 **À vous !** **Votre voyage.**

Exemple : *A : Vous êtes en France depuis quand ?   B : Depuis quan(d) êtes-vou(s) en France ?*

1. **A :** Vous avez voyagé comment ?   **B :** ....

2. **A :** Vous êtes arrivé quand ?   **B :** ....

3. **A :** Vous avez payé combien ?   **B :** ....

4. **A :** Vous restez jusqu'à quand ?   **B :** ....

Lecture : Exemple littéraire de liaisons erronées

– Ils vont à la foire aux puces, dit le type, ou plutôt c'est la foire aux puces qui va-t-à-z-eux.

Raymond Queneau (1903-1976), *Zazie dans le métro.*

6 La chute du /ə/

si tu t'imagines
xa va xa va xa[*]
va durer toujours
Raymond Queneau (1903-1976), *Si tu t'imagines* (chanson)
[*] = que ça va

> La voyelle /ə/, qui correspond à la lettre « e », peut, dans certains cas, ne pas être prononcée.[1] On parle alors de « **chute du** /ə/ ».

■ **La chute ou le maintien du** /ə/ **atone** dépendent de la position du /ə/ dans la phrase et de son environnement phonétique précis.

– **En fin de phrase**, devant pause, le /ə/ tombe toujours :   *Superb(e) !*
– **En début de phrase,** le /ə/ suivi d'une consonne est en général prononcé
            R̲ecommence !
Exceptions : le /ə/ de « je » et de « ce » peuvent ne pas être prononcés :
        J̲e viens d'arriver.   ou   *J(e) viens d'arriver.*
        C̲e n'est pas grave !   ou   *C(e) n'est pas grave !*
– **À l'intérieur de la phrase**, on considère que le maintien ou la chute du /ə/ suivi d'une consonne (même une consonne de liaison) dépendent du nombre de consonnes prononcées qui le précèdent.
– Le /ə/ tombe en général après une seule consonne prononcée,
        Nous r̲(e)viendrons l̲(e) vingt-cinq janvier.   *Les mêm(e)s idées.*
– Le /ə/ est en général maintenu après deux consonnes prononcées (ou plus),
        Ils r̲evienn(ent) l̲e vingt-cinq janvier. D'autr̲es idées.

■ **Cette règle peut se schématiser de la façon suivante :**

> C (ə) C   C C ə C

Cette règle s'applique également à la plupart des séquences de /ə/ :
        Il n̲e t(e) l̲e d(e)mand(e)ra pas.   *Tu sais c(e) qu̲e l(e) r̲epas m'a coûté !*
Cas particulier :
– le /ə/ tonique est toujours prononcé. : *Fais-l̲e avec soin ! Parce qu̲e !*
– devant « h aspiré », le /ə/ est prononcé : *Il s̲e hâte.   Le haut.*[2]
Ces principes généraux peuvent ne pas être respectés,
– en fonction du **style** (voir p. 25),
– en fonction de **l'origine géographique** du locuteur.
– Dans les chansons et la lecture poétique, ces règles s'appliquent rarement.
        Frèr̲e Jacqu̲es, Frèr̲e Jacqu̲es, Dormez-vous ….

---

1. Cette voyelle s'appelle, selon les ouvrages, « e caduc », « e muet » ou « e instable ».
2. Le /a/ de « *la* » est également prononcé devant « h aspiré ».

EXERCICES

1 **Combien de syllabes entendez-vous ? Répétez les adverbes.**

Ex : brusqu<u>e</u>ment.	3 syllabes		
1.	... syllabes	6.	... syllabes
2.	... syllabes	7.	... syllabes
3.	... syllabes	8.	... syllabes
4.	... syllabes	9.	... syllabes
5.	... syllabes	10.	... syllabes

2 **Répétez la phrase, puis changez le sujet.**

Exemple : *Je m(e) dépêche. – Tu t(e) dépêches. – On s(e) dépêche.*

1. Je me prépare pour partir.   Tu.................................... On ....

2. Je me promène souvent.   Tu.................................... On ....

3. Je me demande où on va.   Tu.................................... On ....

4. Je me rappelle un joli coin.   Tu.................................... On ....

3 **Tu exagères !** Exemple : *A : *J(e) (ne) veux pas !*   *B : Ah ! Tu n(e) veux pas !*

Dites bien l'intonation ironique du rôle B.

1. A : J(e) sais pas !   B : ....

2. A : J(e) comprends pas !   B : ....

3. A : J(e) connais pas !   B : ....

4. A : J(e) vois pas !   B : ....

5. A : J(e) peux pas !   B : ....

6. A : J(e) supporte pas !   B : ....

À vous ! **J'ai dû tout r(e)faire !**

Exemple : *A : Tu as classé le courrier ? B : Tu m(e) demandes... J'ai dû tout r(e)classer.*

1. **A :** Tu as trié les lettres ?   B : ....
2. **A :** Tu as préparé les dossiers ?   B : ....
3. **A :** Tu as tapé le programme ?   B : ....
4. **A :** Tu as présenté le projet ?   B : ....

Lecture

Il était né près du canal / Par là, dans l' quartier d'l'Arsenal [...]

Aristide Bruant (1851-1925).

J'me lève, pis j'prépare le déjeuner. [...] J'réveille le monde, j'les mets dehors. J'travaille, j'travaille, j'travaille.

Michel Tremblay (1968-), *Les Belles-Sœurs,* Québec.

7 Les styles

Dans la masse noire des Drus, à peu près à mi-hauteur de la face, j'aperçus une petite lumière, comme une étincelle, qui s'éteignit aussitôt.
– Il a dû allumer une clope.

Dominique Potard (1955-), *Le Port de la Mer de Glace*.

> Dans toutes les langues, la personne qui parle choisit
> de s'exprimer d'une manière plus ou moins recherchée en fonction
> de la relation qu'elle entretient avec son/ses auditeur(s).
> On parle alors d'un choix de « style ».

■ **Dans la pédagogie du français oral, on distingue souvent trois styles** qui ne se situent pas au même point pour tous les locuteurs : de nombreux paramètres interviennent dans le jugement (l'âge, le niveau socio-culturel et la région d'origine en particulier) :

– **le style soutenu**, utilisé en situation de contrôle, proche de la forme écrite et à la prononciation précise,
– **le style courant**,
– **le style familier**, spécifique de l'oral, au vocabulaire évolutif, à la syntaxe souvent éloignée des règles et à la prononciation relâchée.

■ **Ces styles se reconnaissent, entre autres,**

• par des choix de vocabulaire :

	C'est dans quel coin ?	est plus familier que	*C'est à quel endroit ?*
ou	*Quelle teuf !* (mot verlan)[1]	que	*Quelle fête !*

• par des choix grammaticaux (les structures familières passant souvent pour « incorrectes » par rapport à la norme) :

	C'est mes affaires.	est plus familier que	*Ce sont mes affaires.*
ou	*Redis-leur !*	que	*Redis-le leur !*

• par des choix de prononciation :
– en style familier, on ne prononce pas certains sons toujours prononcés en style soutenu :

	J'en sais rien !	est plus familier que	*Je n'en sais rien !*
ou	*I' font des travaux.*	que	*Ils font des travaux.*
ou	*T'as raison.*	que	*Tu as raison*

– la présence ou l'absence de certaines liaisons : en style familier, on réalise moins de liaisons facultatives. C'est ainsi que les phrases suivantes peuvent s'entendre dans la bouche d'un même locuteur, la première dans une situation soutenue, la deuxième dans une situation plus courante :

Je suis /z/ étudiant. *Je sui(s) étudiant.*
Pas /z/ encore. *Pa(s) encore*

---

1. Langage consistant à inverser les syllabes de certains mots. Exemple : *le *tromé = le métro*.

E X E R C I C E S

 1 Choisissez le style utilisé en fonction du vocabulaire, puis répétez les phrases.

Exemple : *Sa boîte a fermé.*

	Ex	1.	2.	3.	4.	5.	6.	7.	8.	9.	10.
soutenu											
courant											
familier	X										

 2 Choisissez le style utilisé en fonction des liaisons, puis répétez les phrases.

Exemple : *Vous /z/ aussi !*

	Ex	1.	2.	3.	4.	5.	6.	7.	8.	9.	10.
soutenu	X										
courant											

3 Répétez la phrase en style courant, puis son équivalent en style familier.

1. Nous allons faire faire des travaux dans notre maison et dans la chambre des enfants.

2. *On va faire faire des travaux dans not(re) maison et dans la chamb(re) des enfants.

3. Nous avons déjà contacté les artisans que tu avais recommandés.

4. *On a d(é)jà téléphoné aux artisans qu(e) t(u) avais r(e)commandés.

5. Nous avons hâte que tout cela se termine parce que ce sont bien des soucis !

6. *On a envie qu(e) tout ça s(e) termine parc(e) que c'est plein de soucis.

À vous ! De quoi parles-tu ?

Exemple : *A : Dis, Maman ! *T(u) as r(e)gardé ?   B : Qu'as-tu r(e)gardé, mon chéri ?*

1. A : T(u) as vu ?   **B** : ....

2. A : T(u) as écouté ?   **B** : ....

3. A : T(u) as entendu ?   **B** : ....

4. A : T(u) as compris ?   **B** : ....

Lecture en style soutenu

En somme, je ne doutais pas que la France dût traverser des épreuves gigantesques, que l'intérêt de la vie consistait à lui rendre, un jour, quelque service signalé et que j'en aurais l'occasion.   Général de Gaulle (1890-1970), *Mémoires de guerre, l'Appel.*

Lecture en style familier

J'avais plus du tout envie d'avancer. Aux boulevards, j'ai bu un café crème et j'ai ouvert ce bouquin qu'elle m'avait vendu. En l'ouvrant, je suis juste tombé sur une page d'une lettre qu'il écrivait à sa femme, le Montaigne.

Louis Ferdinand Céline (1894-1961), *Voyage au bout de la nuit.*

8

La phrase et l'intonation

JULIE — Que vouliez-vous qu'il fît contre trois ?
LE VIEIL HORACE — Qu'il mourût !
Ou qu'un beau désespoir alors le secourût.

Pierre Corneille (1606-1684), *Horace* (III, 6).

> Des variations individuelles (expressives ou affectives) se superposent et modifient les intonations de base.

Le fonctionnement des phénomènes intonatifs est susceptible de variations infinies.

> En français, l'intonation de base est associée au dernier accent de phrase.

■ **On distingue en général trois intonations de phrase.**

1. L'intonation assertive est caractérisée par une inflexion descendante finale.

C'est difficile.   *C'est difficile de s'exprimer en français.*

2.1 L'intonation interrogative est toujours caractérisée par une inflexion montante finale s'il n'y a pas de structure syntaxique interrogative.

C'est difficile ?

L'intonation interrogative se réalise en général sur la fin de la partie essentielle. Dans ces exemples, elle est éventuellement réalisée sur *difficile*.

C'est difficile de s'exprimer en français ?   *C'est difficile ou c'est facile ?*

2.2 Si l'interrogation est exprimée par la structure syntaxique, l'intonation finale est soit montante, soit descendante.

Est-ce que tu viendras ? Est-ce que tu viendras ?

Dans ce genre de structure comme dans le précédent, l'intonation interrogative se réalise, en général, sur la fin de la partie essentielle.

Dans les exemples suivants, le sommet de la phrase est sur *qui* :

*Avec **qui** est-ce que tu vas au cinéma ?   Avec **qui** tu vas au cinéma ?*

3. L'intonation exclamative ou impérative est caractérisée par une courbe nettement montante ou nettement descendante.

Tout à fait d'accord !   *Taisez-vous !*

4. Dans certains cas, un mot ou un groupe de mots peut être détaché en tête, au milieu ou en fin d'énoncé et en être séparé par une ou deux virgules. Il sera dit avec une intonation indépendante de l'intonation de phrase. Ces cas sont traités dans la *Phonétique progressive du français – Niveau avancé*.
Il vient, c'est sûr, la semaine prochaine.

EXERCICES

1 Choisissez si la voix monte ou si elle descend (question ou énonciation).

Exemple : *D'accord ?* ↗

	Ex.	1	2	3	4	5	6	7	8	9	10
La voix monte.	X										
La voix descend.											

2 Répétez les phrases.

3 À vos ordinateurs ! Répétez ces consignes.

1. Asseyez-vous !

2. Allumez votre ordinateur !

3. Créez un dossier pour ce cours.

4. Ouvrez un fichier Word !

5. Mettez-le dans le dossier à la date de ce jour !

4 Les goûts et les couleurs. Répétez en imitant les diverses intonations, puis jouez le dialogue.

1. A : Viens voir !

2. B : Voir quoi ?

3. A : Cet hôtel particulier.

4. B : Tu aimes vraiment ?

5. A : Absolument, je trouve ça magnifique !

6. B : La façade est un peu chargée, je trouve.

7. A : Oui, mais quelle harmonie !

8. B : Ça me laisse assez froid…

À vous ! Raphaël au travail.

Exemple : *A : Raphaël travaille bien ?*   *B : Il travaille toujours bien.*

1. A : Tu vérifies ce qu'il a fait ?   **B** : ....

2. A : Tu lui confies des dossiers difficiles ?   **B** : ....

3. A : Tu es content de lui ?   **B** : ....

4. A : Tu l'emmènes avec toi en mission ?   **B** : ....

Lecture

« Anne, ma sœur Anne, ne vois-tu rien venir ? » Et la sœur Anne lui répondait : « Je ne vois rien que le Soleil qui poudroie, et l'herbe qui verdoie. » Cependant la Barbe bleue, tenant un grand coutelas à sa main, criait de toute sa force à sa femme : « Descends vite, ou je monterai là-haut »   Charles Perrault (1628-1703), *La Barbe Bleue.*

II – LES VOYELLES

Les voyelles sont des sons produits par la vibration des cordes vocales ; l'air passe sans obstacle par la bouche.

Caractéristiques des voyelles françaises

■ **Les voyelles françaises sont « tendues » :**
– leur articulation implique une tension des muscles phonateurs,
– les muscles restent bien en place lors de l'émission de la voyelle,
– il n'y a pas de diphtongaison.

■ **Les voyelles françaises sont majoritairement des voyelles « antérieures » :**
la plupart des voyelles sont articulées avec la masse de la langue en avant.

■ **Les voyelles françaises sont labialisées :**
les lèvres sont toujours très actives lors de l'articulation des voyelles.

Alphabet phonétique des voyelles

	16 voyelles		10 voyelles	
	phonème		archiphonème	
ORALES SIMPLES	/i/	dit	/i/	dit
	/e/	dé	/E/	les
	/ɛ/	dès		
	/a/	patte	/A/	bateau
	/ɑ/	pâte		
	/ɔ/	dort	/O/	chocolat
	/o/	dos		
	/u/	doux	/u/	doux
ORALES COMPOSÉES	/y/	du	/y/	du
	/ø/	deux	/Œ/	déjeuner
	/œ/	sœur		
	/ə/	ce		
NASALES	/œ̃/	brun	/Ẽ/	lundi
	/ɛ̃/	brin		
	/ɑ̃/	blanc	/ɑ̃/	blanc
	/õ/	blond	/õ/	blond

On considère que le système vocalique du français comporte au maximum 16 voyelles et au minimum 10. En effet, selon les locuteurs et le style utilisé, un certain nombre de distinctions peuvent ne pas être réalisées :

■ **deux voyelles sont menacées :**

- l'opposition du /ɑ/ postérieur de pâte avec le /a/ antérieur de patte (voir p. 40) tend à disparaître ; dans ce cas on représente la voyelle par le symbole /A/.
- l'opposition du /œ̃/ de brun avec le /ɛ̃/ de brin tend, dans certaines régions, à disparaître (voir p. 98) ; dans ce cas on représente la voyelle par le symbole /Ẽ/.

■ **trois autres oppositions, plus fréquentes, continuent à jouer un rôle distinctif.**
Néanmoins, dans certains contextes phonétiques, chacune de ces oppositions disparaît au profit d'une voyelle intermédiaire.

- *jeune   jeûne*   /œ/   /ø/   (voir p. 72) ;
  dans ce cas on représente la voyelle par le symbole /Œ/.
- *notre   nôtre*   /ɔ/   /o/   (voir p. 42) ;
  dans ce cas on représente la voyelle par le symbole /O/.
- *dès   dé*   /ɛ/   /e/   (voir p. 36) ;
  dans ce cas on représente la voyelle par le symbole /E/.

Il existe, enfin, une voyelle au statut problématique : le /ə/ qui a un statut acoustique instable puisqu'elle peut ne pas être prononcée dans certains environnements (voir p. 22).

Les voyelles orales simples

Les voyelles orales simples se retrouvent dans toutes les langues (les trois voyelles /i/ /u/ /a/ sont universelles) mais le système français est particulièrement riche puisqu'il en comporte 8.

Symbole phonétique	Exemple	Leçon
/i/	dit	p. 32, p. 34 et p. 52
/e/	dé	p. 32, p. 40, p. 76 et p. 80
/ɛ/	dès	p. 34, p. 36, p. 40 et p. 90
/a/	patte	p. 40, p. 84 et p. 92
/ɑ/	pâte	tend à disparaître et à être remplacé par le /a/, éventuellement légèrement plus long.
/ɔ/	dort	p. 42
/o/	dos	p. 42, p. 46, p. 64 et p. 96
/u/	doux	p. 46, p. 56 et p. 68

Quelles sont vos difficultés ?

(039) **Test 1** p. 32 /i/ - /e/	**Répétez.** **1.** prix – pré **2.** si – ses **3.** crie – crée **4.** dit – des **Retrouvez : cochez le mot que vous entendez dans les phrases.** 1. prix ❏ pré ❏ 3. crie ❏ crée ❏ 2. six ❏ ses ❏ 4. dix ❏ des ❏		
(040) **Test 2** p. 34 /i/ - /ɛ/	**Répétez.** **1.** il – elle **2.** Gilles – gèle **3.** bile – belle **4.** grill – grêle **Retrouvez : cochez le genre que vous entendez dans les phrases.** 1. Féminin ❏ Masculin ❏ 4. Féminin ❏ Masculin ❏ 2. Féminin ❏ Masculin ❏ 5. Féminin ❏ Masculin ❏ 3. Féminin ❏ Masculin ❏		
(041) **Test 3** p. 36 /ɛ/ - /e/	**Répétez.** **1.** dormait – dormez **2.** prenait – prenez **3.** écrivait – écrivez **4.** lisait – lisez **Retrouvez : cochez le temps que vous entendez.** 1. Imparfait ❏ Présent ❏ 3. Imparfait ❏ Présent ❏ 2. Imparfait ❏ Présent ❏ 4. Imparfait ❏ Présent ❏		
(042) **Test 4** p. 40 /e/ - /a/	**Répétez.** **1.** thé – tas **2.** ses – sa **3.** B – bas **4.** les – la **Retrouvez : cochez le mot que vous entendez dans les phrases.** 1. thé ❏ tas ❏ 3. B ❏ bas ❏ 2. ses ❏ sa ❏ 4. les ❏ la ❏		
(043) **Test 5** p. 42 /ɔ/ - /o/	**Répétez.** **1.** cote – côte **2.** Paul – Paule **3.** pomme – paume **4.** sol – saule **Retrouvez : cochez le mot que vous entendez dans les phrases** 1. cote ❏ côte ❏ 3. pomme ❏ paume ❏ 2. Paul ❏ Paule ❏ 4. sol ❏ saule ❏		
(044) **Test 6** p. 46 /o/ - /u/	**Répétez.** **1.** faute – foot **2.** faux – fou **3.** tôt – tout **4.** pot – poux **Retrouvez : cochez le mot que vous entendez dans les phrases.** 1. faute ❏ foot ❏ 3. tôt ❏ tout ❏ 2. faux ❏ fou ❏ 4. pot ❏ pou ❏		

9 prix - pré /i/ - /e/

J'**ai** perdu ma force **et** ma v**i**e,
Et m**es** am**i**s **et** ma ga**î**t**é** ;
J'**ai** perdu jusqu'à la fiert**é**
Qu**i** faisait croire en mon gén**i**e.

Alfred de Musset (1810-1857), « Tristesse », *Poésies nouvelles*.

/i/	– langue très en avant		– lèvres très tirées – bouche très fermée	
/e/	– langue en avant		– lèvres très tirées – bouche fermée	

Vous pouvez aussi étudier la prononciation du /i/ p. 34 (*il, elle*) et p. 52 (*vie, vue*).

Vous pouvez aussi étudier la prononciation du /e/ p. 36 (*parlait, parlé*), p. 40 (*les, la*), p. 76 (*les, le*) et p. 80 (*j'ai, je*).

/i/ s'écrit le plus souvent :	*i* *î* *ï* *y*	*il île haïr cycle*
/e/ s'écrit le plus souvent :	– *é* – *e* +" *r, z, f, d* " non prononcés en fin de mot – *e* + double consonne sauf dans les monosyllabes (p. 30) – *es* dans les monosyllabes ⚠ – *ai* final ⚠ – *ay*	*chanté* *chanter chantez clef pied* *dessin* *les* *gai, j'aimai, j'aimerai* *payer*

⚠ Dans ces cas, on peut entendre un /E/ intermédiaire (voir p. 36)

EXERCICES

045 **1** **Répétez.**

/i/ /e/ /i/ **1.** Il **l**es **d**it. **3.** Il les dirige.

2. Il les lit. **4.** Il les finit.

046 **2** **Répétez. Dites bien les enchaînements vocaliques.**

/e e/ /e i/ **1.** J'ai été *hyper -irrité ! **3.** J'ai été hyper-ignoré !

2. J'ai été hyper-isolé ! **4.** J'ai été hyper-imité !

047 **3** **Où ?** Exemple : *A : On commence où ? B : Commence(z) ici !*
Dites bien l'enchaînement vocalique.

1. A : On reprend où ? **B :** ....

2. A : On continue où ? **B :** ....

3. A : On termine où ? **B :** ....

4. A : On arrête où ? **B :** ....

048 **À vous !** **Qui ?**
Exemple : *A : On m'a d(e)mandé ma carte d'identité. B : Qui t(e) l'a d(e)mandée ?*

1. A : On m'a refait mon passeport. **B :** ....

2. A : On m'a refusé l'entrée. **B :** ....

3. A : On m'a reproché mon écriture. **B :** ....

4. A : On m'a recommandé ce restaurant. **B :** ....

5. A : On m'a remis un chèque. **B :** ....

049 **4** **Écoute tes parents !** *A : Range tes affaires !* *B : J(e) les rang(e)rai si j(e) veux !*

Faites bien les chutes du /ə/.

1. A : Accroche tes vêtements ! **B :** ....

2. A : Enfile tes chaussettes ! **B :** ....

3. A : Lace tes chaussures ! **B :** ....

4. A : Noue tes lacets ! **B :** ....

 ## Lecture

Dans l'île de Haïti, jadis colonie française sous le nom de Saint-Domingue, il y avait au début du xixe siècle un général noir. Il s'appelait Christophe, Henri Christophe, Henri avec un *i*.

Aimé Césaire (1913-2008), *La Tragédie du Roi Christophe.*

Où résida le réséda ?
Résida-t-il au Canada ?

Robert Desnos (1900-1945), *Chantefables et chantefleurs.*

10   il - elle   /i/ - /ɛ/

En avr**i**l, ne te découvre pas d'un f**i**l
En m**ai**, f**ai**s ce qu'**i**l te pl**aî**t.
Dicton météorologique.

/i/	– langue très en avant		– lèvres très tirées – bouche très fermée	
/ɛ/	– langue très peu en avant		– lèvres tirées – bouche presque ouverte	

Vous pouvez aussi étudier la prononciation du /i/ p. 32 (*prix, pré*) et p. 52 (*vie, vue*).
Vous pouvez aussi étudier la prononciation du /ɛ/ p. 36 (*parlait, parlé*) et p. 90 (*lait, lin*).

/i/ s'écrit le plus souvent :	*i* *î* *ï* *y*	*il* *île* *haïr* *cycle*

/ɛ/ s'écrit le plus souvent :	– *è* *ê*
	– *ei, ai, e*
	suivis d'une ou deux consonnes prononcées dans la même syllabe orale
	– *e* + double consonne
	   dans les monosyllabes
	– *ai* + « *s, t, e* » non prononcés
	   en fin de mot
		père *être*
		seize *faire* *mettre*
		
		elle
		
		mais, fait, craie

(050) **1** **Répétez : « il » masculin, « elle » féminin.**

/il/ /ɛl/
    1. Il est très fier.   **4. Elle** est très riche.

    2. Il est très bête.   **5.** Elle est très chic.

    3. Il est très laid.   **6.** Elle est très fine.

(051) **2** **Je n'ai pas bien entendu.** Exemple : *A : Ma copine lit des livres.* *B : Pardon ? Qu'est-c(e) qu'elle lit ?*

Dites bien les deux intonations interrogatives.

1. A : Elle dit ses projets.   **B :** ....

2. A : Elle finit ses études.   **B :** ....

3. A : Elle signe son contrat.   **B :** ....

4. A : Elle imagine sa vie.   **B :** ....

(052) **3** **Mais si, mais si...**   Exemple : *A : Ton ami n'aime pas la bière ?*   *B : Si, il aime cell(e)-là.*

Dites bien les deux groupes rythmiques.

1. A : Ton ami ne met jamais de cravate ?   **B :** ....

2. A : Il ne paie pas de taxe.   **B :** ....

3. A : Il ne jette pas les publicités ?   **B :** ....

4. A : Il ne prête pas de revue ?   **B :** ....

Écriture : **Continuez l'histoire suivante. Chaque ligne doit avoir le même nombre de syllabes orales, commencer par « il » et se terminer par « elle » (rime).**

Il ne pense qu'à elle, ...

Il se souvient d'elle, ...

(053) **À vous !**   **Inimaginable !**

A : Exemple : A : Mathis danse avec Ambre.   *B : Lui, avec elle ? Inimaginable !*

1. A : Il voyage sans sa sœur.   **B :** ....

2. A : Il habite chez sa grand-mère.   **B :** ....

3. A : Il s'inquiète pour sa mère.   **B :** ....

Lecture

Oisive jeunesse
À tout asservie,
Par délicatesse
J'ai perdu ma vie.
   Arthur Rimbaud (1854-1891), *Chanson de la plus haute tour.*

Comment, disaient-ils,
Enchanter les belles
Sans philtres subtils ?
Aimez, disaient-elles.
   Victor Hugo (1802-1885), *Guitare.*

parlait - parlé

$/\varepsilon/ - /e/$

À la cl**ai**re font**ai**ne
M'en allant promen**er**,
Je trouv**ai** l'eau si b**e**lle
Que je m'y suis b**ai**gn**ée**.

Chanson populaire.

/ɛ/	– langue très peu en avant	– lèvres tirées – bouche presque ouverte	
/e/	– langue en avant	– lèvres très tirées – bouche fermée	

Vous pouvez aussi étudier la prononciation du /ɛ/ p. 34 (*il, elle*) et p. 90 (*lait, lin*).
Vous pouvez aussi étudier la prononciation du /e/ p. 32 (*prix, pré*), p. 40 (*les, la*), p. 76 (*les, le*) et p. 80 (*j'ai, je*).

/ɛ/ s'écrit le plus souvent :	– **è**　**ê** – **ei, ai, e** 　　suivis d'une consonne prononcée 　　dans la même syllabe orale – **e** + double consonne 　　dans les monosyllabes – **ai** + « **s, t, e** » non prononcés 　　en fin de mot	*père*　　*être* *seize*　　*faire*　　*mettre* *elle* *mais, fait, craie*
/e/ s'écrit le plus souvent :	– **é** – **e** + » **r, z, f, d** « 　　non prononcés en fin de mot – **e** + double consonne 　　sauf dans les monosyllabes 　　(voir /E/) – **es**　dans les monosyllabes ⚠ – **ai**　final ⚠ – **ay**	*chanté* *chanter　chantez　clef　pied* *dessin* *les* *gai, j'aimai, j'aimerai* *payer*

⚠　Dans ces cas, on peut entendre un /E/ intermédiaire.

E X E R C I C E S ★

 1 **Répétez. Lèvres tirées et bouche fermée pour prononcer /e/.**

/ɛ/ /e/ **1.** L - M - N - R - S - Z - **4.** Le TGV

 2. B - C - D - G - P - T - V - W **5.** Des CD

 3. La SNCF **6.** Des DVD

 2 **Répétez : imparfait (trois syllabes) – passé composé (quatre syllabes).**

/e/ /ɛ/- /e el /e/ **1.** J'étudiais. - J'ai étudié. **3.** J'essayais. - J'ai essayé.

 2. J'écoutais. - J'ai écouté. **4.** J'échouais. – J'ai échoué.

 3 **Vous déménagez quand ?**

Exemples : *A : Je déménage l'année prochaine.* *B : Vous déménagez en janvier ?*

Posez la question en changeant le mois.

1. février **B :** Vous déménagez en février ?

2. mars ....

 À vous ! **Moi, jamais !**

Exemple : *A : Vous êtes fâché ?* *B : Fâché ? Moi, jamais !*

1. A : Vous êtes gêné ? **B :** ....

2. A : Vous êtes choqué ? **B :** ....

3. A : Vous êtes désolé ? **B :** ....

4. A : Vous êtes désespéré ? **B :** ....

 4 **Ça ne va pas tarder…** Exemple : *A : Tu t(e) soignes ?* *B : Non, mais j(e) vais m(e) soigner.*

Faites bien les chutes du /ə/.

1. A : Tu te coiffes ? **B :** ....

2. A : Tu te prépares ? **B :** ....

3. A : Tu te dépêches ? **B :** ....

 ## Lecture

Ah ! quel été, quel été, quel été !

Il pleuvait tant sur la côte où j'étais !

Raymond Devos (1922- 2006), *Souvenirs de vacances, Sens dessus dessous.*

Aimer il faut pour être aimé.

Jean-Antoine de Baïf (1532-1589).

EXERCICES ★★

(059) **5** **Répétez.**

1. Se connecter – se déconnecter.

2. Aller sur Internet.

3. Rédiger un courriel.

4. Répondre à un mail.

5. Transférer un fichier.

6. Imprimer un pdf.

(060) **6** **Répétez : imparfait /ɛ/ – passé composé /e/ : lèvres tirées et bouche bien fermée.**

/ɛ/ - /e/ 1. Il la chantait. - Il l'a chanté(e).

2. Il la dansait. - Il l'a dansé(e).

3. Il la sifflait. - Il l'a sifflé(e).

4. Il la jouait – Il l'a joué(e).

(061) **7** **Il n'est pas tout seul.** Exemple : A : Tiens ! Le boulanger !_B : Oui, le boulange(r) et la boulangère !

Dites bien l'enchaînement vocalique.

1. A : Tiens ! Le poissonnier !   B : ....

2. A : Tiens ! Le charcutier !   B : ....

3. A : Tiens ! Le crémier !   B : ....

(062) **À vous !** **Ils sont exceptionnels !**
Exemple : A : Pierre a réussi dans la pâtisserie.   B : C'est un pâtissie(r) exceptionnel.

1. A : Dominique travaille dans la banque.   B : ....

2. A : Jules est dans la finance.   B : ....

3. A : Jean-Paul est connu dans la haute couture.   B : ....

(063) **8** **On l'a vu.** Exemple : A : C'est le chat qui a mangé la souris ? B : Il la mangeait quand ils sont arrivés.

Dites bien la différence entre l'imparfait et le passé composé.

1. A : C'est le renard qui a chassé la poule ?   B : ....

2. A : C'est le chien qui a léché l'assiette ?   B : ....

3. A : C'est le lapin qui a grignoté la carotte ?   B : ....

Lecture

Prendre un dictionnaire,
Barrer tous les mots à barrer,
Signer : revu et corrigé.
Marcel Duchamp (1887-1968).

064 **9** **Répétez l'imparfait passif (4 syllabes), puis transformez au passé composé passif (5 syllabes).**

/etɛ e/ /e ete e/ Exemple : *J'étai(s) énervé. – J'ai été énervé.*

1. J'étais épuisé. – ....

2. J'étais écarté. – ....

3. J'étais éloigné. – ....

065 **10** **Comme toujours !** Exemple : *A : Elle préfère votre sœur.   B : Je sais, elle l'a toujours préférée !*

⚠ L'accent grave au présent du verbe (préfère) devient accent aigu au passé composé (pr<u>é</u>féré) ; il écrit que la voyelle ouverte /ɛ/ du présent devient, au passé composé, la voyelle /e/ fermée.

Dites bien les voyelles /e/ fermées au passé composé.

1. A : Elle fête votre anniversaire.   **B :** ....

2. A : Elle abrège la conversation.   **B :** ....

3. A : Elle gère cette affaire.   **B :** ....

066 **À vous !**   **Encore plus...**

Exemple : *A : Tu étais stressé hier.   B : J'ai été encore plus stressé aujourd'hui.*

1. A : Tu étais bousculé hier.   **B :** ....

2. A : Tu étais submergé hier.   **B :** ....

3. A : Tu étais débordé hier.   **B :** ....

4. A : Tu étais dépassé hier.   **B :** ....

Écriture : **Continuez ce portrait en n'oubliant pas la rime en « télé- »**

C'est par télé-

phone qu'il a commandé un télé-

viseur, équipé d'une télé-

....

....   Signé : http://www.branché.fr

Lecture

Père Merle perché serre entre le bec le bretzel ; / Mère Fennec est présente : /
– Eh, Merle, Révérences ! jette cette Mère Fennec. / Père Merle se penche et... le bretzel descend entre / les dents de Mère Fennec. / Père Merle blême et berné peste ; /
Mère Fennec se délecte et rentre chez elle.

Marie-Christine Plassard, « Le Corbeau et le Renard »,

La Fontaine (1621-1695) n'a-t-il pas raconté la même histoire ?

les - la

$/e/ - /a/$

L**es** forêts ont **é**t**é** l**es** premi**ers** temples de l**a** Divinit**é**,
et l**es** hommes ont pris dans l**es** forêts
l**a** première id**ée** de l'**a**rchitecture.

René de Chateaubriand (1768-1848), *Le Génie du Christianisme*.

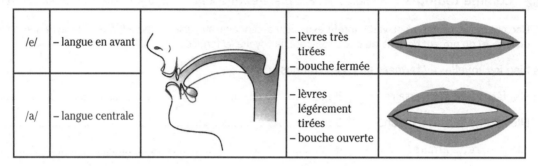

/e/	– langue en avant	– lèvres très tirées – bouche fermée	
/a/	– langue centrale	– lèvres légérement tirées – bouche ouverte	

La voyelle postérieure /ɑ/ de « pâte » tend à disparaître et à être remplacée par la voyelle antérieure /a/ de « patte », éventuellement légèrement plus longue ; le /ɑ/ postérieur n'est donc pas étudié dans cet ouvrage.

Vous pouvez aussi étudier la prononciation du /e/ p. 32 (*prix, pré*), p. 36 (*parlait, parlé*), p. 76 (*les, le*) et p. 80 (*j'ai, je*).
Vous pouvez aussi étudier la prononciation du /a/ p. 84 (*la, le*) et p. 92 (*plat, plan*).

/e/ s'écrit le plus souvent :	– **é**
	– **e** + » **r, z, f, d** «
	    non prononcés en fin de mot
	– **e** + double consonne
	    sauf dans les monosyllabes
	    (voir p. 30)
	– **es** dans les monosyllabes ⚠
	– **ai** final ⚠
	– **ay**
		chanté
		chanter chantez clef pied
		
		dessin
		
		les
		gai, j'aimai, j'aimerai
		payer

⚠ Dans ces cas, on peut entendre un /E/ intermédiaire (voir p. 36).

/a/ s'écrit le plus souvent :	– **a, à, â** – **e** + **mm-** dans les adverbes Cas particuliers	*chat là pâte* *prudemment* *femme solennel*
/wa/ s'écrit le plus souvent : (voir p. 170)	– **oi**	*noir*

EXERCICES

(067) **1**   **Bonjour !**

Répétez. Dites bien l'égalité syllabique (4 syllabes).

/e/ /a/ **1.** Bonjour, Mesdames – Bonjour, Madame.   **3.** Merci, Mesdames – Merci, Madame.

2. Bonsoir, Mesdames – Bonsoir, Madame.   **4.** Au r(e)voir, Mesdames. – Au r(e)voir, Madame.

(068) **2**   **À la ferme.**   Exemple : *A : Où sont les chats ?   B : Les chats ? Là-bas !*

Dites bien les intonations.

1. A : Où sont les chatons ?   **B :** ....

2. A : Où sont les vaches ?   **B :** ....

3. A : Où sont les ânes ?   **B :** ....

4. A : Où sont les canards ?   **B :** ....

(069) **3**   **Chaque chose à sa place.**   **Répétez. Dites bien l'enchaînement vocalique.**

/e a/ **1.** Mets-le(s) à gauche.   **3.** Pose-les à leur place.

2. Laisse-les à droite.   **4.** Donne-les à l'avance.

(070) **À vous !**   **Et toi ?**

Exemple : *A : Tu dépasses la vitesse ?   B : Et toi, *tu (ne) la dépasses pas ?*

1. A : Tu décharges la voiture ?   **B :** ....

2. A : Tu déplaces la poubelle ?   **B :** ....

3. A : Tu dégages la neige ?   **B :** ....

4. A : Tu répares ma bicyclette ?   **B :** ....

(071) **4**   **Toi ? Jamais !** Exemple : *A : J'ai rencontré Eva.   B : Toi ? *Tu (ne) l'as jamais rencontrée !*

Dites bien l'intonation familière.

1. A : Je l'ai abordée.   **B :** ....

2. A : Je l'ai *draguée.   **B :** ....

3. A : Je l'ai invitée.   **B :** ....

4. A : Je l'ai *lâchée.   **B :** ....

5. A : Je l'ai regrettée.   **B :** ....

Lecture

• Sous les pavés, la plage.   Slogan étudiant (mai 1968).

• Le fanal est dans le canal.   Samuel Becket (1906-1989), *Fin de partie.*

• La vache lâche se fâche et se cache sous la bâche.   Robert Desnos (1900-1945).

13 notre - nôtre

/ɔ/ - /o/

On a tout dit du rossign**o**l et de la r**o**se
On a tout dit du r**o**ssign**o**l
De son chant pur qui prend son v**o**l
Et qui se p**o**se.

Maurice Sandoz (1892-1958), *Choix de poèmes*.

/ɔ/	– langue très peu en arrière		– lèvres arrondies – bouche presque ouverte	
/o/	– langue en arrière		– lèvres très arrondies – bouche fermée	

Vous pouvez aussi étudier la prononciation du /o/ p. 46 (*faux, fou*), p. 64 (*chevaux, cheveux*) et p. 96 (*beau, bon*).

 En syllabe non accentuée, on peut entendre un /O/ intermédiaire : lab**o**ratoire, ch**o**c**o**lat.

/o/ s'écrit le plus souvent :	– *eau* – *au* – *o* en fin de mot – *o* suivi d'une consonne non prononcée – *o* +/z/ ô	*beau, Beauce* *matériau, haut, haute* *do* *dos* *rose côte*
/ɔ/ s'écrit le plus souvent :	– *u* + *m* final, sauf « *parfum* » – *o* en fin de mot, suivi d'une consonne prononcée, (sauf /z/)	*forum* *donne*

EXERCICES ★

  1 **Répétez. Dites bien l'enchaînement vocalique.**

/ɔ/ /o/ /o/   **1.** V**o**tre chap**eau** est drôle.

2. Votre manteau est beau.

3. Votre tricot est chaud.

 2 **Répétez. Dites bien l'enchaînement consonantique.**

/o/ /ɔ/   **1.** V**o**s parents sont dans no|tr(e) immeuble.   **3.** Vos voisins sont dans notre entrée.

2. Vos gardiens sont dans notre escalier.   **4.** Vos ouvriers sont dans notre ascenseur.

 3 **Bravo !** Exemple : *A : Je fais du vélo.*   *B : Du vélo ? Bravo !*

Dites bien les deux groupes rythmiques.

1. A : Je fais du judo.   **B :** ....

2. A : Je fais du bateau.   **B :** ....

3. A : Je fais de la moto.   **B :** ....

4. A : Je fais de la spéléo.   **B :** ....

 4 **Rendez-vous !** Exemple : *A : Rendez-vous au Forum !*   *B : Au Forum ? D'accord.*

Dites bien les intonations.

1. A : Rendez-vous au Planétarium !   **B :** ....

2. A : Rendez-vous au Muséum !   **B :** ....

3. A : Rendez-vous à l'auditorium !   **B :** ....

À vous !   Polyglotte !

Exemple : *A : Je parle français.*   *B : Oh ! Vous êtes francophone ?*

1. A : Je parle anglais.   **B :** ....

2. A : Je parle russe.   **B :** ....

3. A : Je parle arabe.   **B :** ....

4. A : Je parle espagnol.   **B :** ....

5. A : Je parle allemand.   **B :** ....

6. A : Je parle portugais.   **B :** ....

7. A : Je parle chinois.   **B :** ....

 ## Lecture

De l'eau, / Il en faut, / Mais pas trop,
Et le mal et le bien sortent des mêmes causes.

Franc-Nohain (1873-1934), *Fables*.

notre - nôtre /ɔ/ - /o/

E X E R C I C E S ★★

 5 **Répétez. Dites bien l'égalité syllabique.**

/o/ /ɔ/ /o/ /ɔ/   **1.** Il est *drôlement fort, ce climatologue !   **3.** Il est drôlement fort, cet archéologue!

2. Il est drôlement fort, ce géologue !   **4.** Il est drôlement fort, cet ethnologue !

 6 **Répétez. Dites bien l'adjectif puis le pronom possessifs.**

/ɔ/ /o/   **1.** C'est votr(e) opinio(n) ou c'est la nôtre ?   **3.** C'est votre observation ou c'est la nôtre ?

2. C'est votre objection ou c'est la nôtre ?   **4.** C'est votre obligation ou c'est la nôtre ?

 7 **Faut bien le faire !** Exemple : *A : C'est toi qui colles les affiches ? B : *Faut bien les coller...*

Dites bien la réponse en style familier.

1. A : C'est toi qui postes les affiches ?   **B :** ....

2. A : C'est toi qui transportes les affiches ?   **B :** ....

3. A : C'est toi qui rapportes les affiches ?   **B :** ....

8 **Quels textos !** Exemple : *A : Ce texto est *génial.*   *B : Tous ces textos sont géniaux.*

Dites bien le pluriel des adjectifs.

1. A : Il est cordial.   **B :** ....

2. A : Il est normal.   **B :** ....

3. A : Il est spécial.   **B :** ....

4. A : Il est original.   **B :** ....

 À vous !   **Aujourd'hui.**

Exemple : *A : On devrait le questionner.   B : On l(e) questionne aujourd'hui ?*

1. A : On devrait le convoquer.   **B :** ....

2. A : On devrait le nommer.   **B :** ....

3. A : On devrait le sanctionner.   **B :** ....

4. A : On devrait le décorer.   **B :** ....

Lecture

C'est odieux. (À la maison j'avais toujours entendu dans odieux, prononcer l'o long audieux –, mais M. et Mme Swann disaient odieux, en faisant l'o bref) ...

Marcel Proust (1871-1922), *À l'ombre des jeunes filles en fleurs.*

La terre n'est qu'un charnier où le bruit de nos pas sonne aussi creux que les os des morts.

Louis-René des Forêts (1918-2000), *Ostinato.*

9 Répétez. Dites bien l'enchaînement consonantique.

1. Vous êtes psycholo|gu(e) ou psychothérapeute ?

2. Vous êtes sociologue ou sociolinguiste ?

3. Vous êtes astronome ou astrophysicien ?

 10 **Encore d'autres.** Répétez. Dites bien le /ə/ final puis la liaison.

1. Il y a encore d'autr<u>e</u>s /z/ ordinateurs.

2. On a encore d'autres occupations.

3. On aura encore d'autres occasions.

4. Ils ont encore d'autres objectifs.

À vous ! **Ah ! Le vôtre ...**

Exemple : *A : Votre studio est bien °haut ! B : Le vôtre est encore plus haut.*

1. A : Comme ce piano est faux ! **B :** ....

2. A : Votre gâteau est très gros ! **B :** ....

3. A : Ce propos est assez nouveau ! **B :** ....

4. A : Ce que ce bibelot est vieillot ! **B :** ....

---

11 **Écriture :** Trouvez le mot auquel chacune de ces abréviations familières correspond, lisez les deux mots, puis écoutez l'enregistrement.

Exemple : **intello : intellectuel*

1. *ado : ....

2. *hebdo : ....

3. *labo : ....

4. *produit bio : ....

5. *exo : ....

6. *bobo : ....

7. *resto :......................

8. *alcoolo : ....

9. *socio : ....

10. *écolo: ....

11. *disco : ....

12. *pseudo : ....

Lecture

Mignonne, allons voir si la rose,
Qui c<u>e</u> matin avait déclose
Sa rob<u>e</u> de pourpre au soleil,
A point perdu cett<u>e</u> vêprée,
Les plis d<u>e</u> sa rob<u>e</u> pourprée
Et son teint au vôtr<u>e</u> pareil.

Pierre de Ronsard (1524-1585), *À Cassandre.*

C'est la Mort – ou la Morte. Ô délice ! Ô tourment !
La ros<u>e</u> qu'ell<u>e</u> tient, c'est la *Rose trémière...*

Gérard d<u>e</u> Nerval (1808-1855), *Myrtho.*

faux - fou

/o/ - /u/

Il pleut, il m**ou**ille, c'est la fête à la gren**ou**ille ;
il tombe de l'**eau**, c'est la fête **aux** escarg**o**ts.

Comptine.

/o/	– langue arrière		– lèvres très arrondies – bouche fermée
/u/	– langue très en arrière		– lèvres très arrondies – bouche très fermée

Vous pouvez aussi étudier la prononciation du /o/ p. 42 (*notre, nôtre*), p. 58 (*chevaux, cheveux*) et p. 96 (*beau, bon*).
Vous pouvez aussi étudier la prononciation du /u/ p. 56 (*roue, rue*), p. 68 (*douzième, deuxième*) et p. 170 (*Louis, lui*).

/o/ s'écrit le plus souvent :	– *eau* – *au* – *o* en fin de mot – *o* suivi d'une consonne non prononcée – *o* + /z/ – *ô*	beau, Beauce matériau, haut, haute do dos rose côte
/u/ s'écrit le plus souvent :	– *ou, où, oû* – *aou* – mots empruntés à l'anglais	route, où, goût saoul foot, clown, pudding

086 **1** Répétez. Dites bien l'enchaînement consonantique.

/o/ /u/   **1.** J'ai ma**l au c**oude.   **3.** J'ai mal au cou.

2. J'ai mal au pouce.   **4.** J'ai mal au g(e)nou.

087 **2** Répétez. Dites bien l'enchaînement consonantique.

/u |z o/   **1.** Dou**|z(e) au**berges.   **3.** Douze autoroutes.

2. Douze autobus.   **4.** Douze autorisations.

088 **3** **Oui, tout !** Exemple : *A : Je dis tout ?*   *B : Oui, il faut tout **dire**.*

Dites bien les deux groupes rythmiques.

1. A : Je lis tout ?   **B :** ....

2. A : Je fais tout ?   **B :** ....

3. A : Je bois tout ?   **B :** ....

4. A : Je traduis tout ?   **B :** ....

5. A : Je remplis tout ?   **B :** ....

089 **À vous !**   **Tous les autres.**

Exemple : *A : Les autres sont arrivés ?*   *B : Tou(s) les autres sont arrivés.*

1. A : Les autres sont entrés ?   **B :** ....

2. A : Les autres sont prêts ?   **B :** ....

3. A : Les autres sont servis ?   **B :** ....

4. A : Les autres sont partis ?   **B :** ....

⚠   Prononciation de « *tous* » : ici, « *tous* » est un adjectif, le « *s* » n'est pas prononcé.

090 **4** **Beaucoup trop !** Exemple : *A C'est trop court... B : Beaucoup trop court !*

Dites bien un seul groupe rythmique.

1. A : C'est trop doux...   **B :** ....

2. A : C'est trop lourd...   **B :** ....

3. A : C'est trop souple...   **B :** ....

4. A : C'est trop rouge...   **B :** ....

Lecture

En passant dans un p'tit bois / Où le coucou chantait /
Dans son joli chant disait :
« Coucou, coucou, coucou, coucou » / Et moi je croyais qu'il disait :
« Coupe-lui le cou, coupe-lui le cou ».

Chanson populaire.

EXERCICES ★★

 091 **5** **Guillaume et les autres.** Répétez. Dites bien l'enchaînement vocalique.

/o/ /u͡ o/ **1.** Guillaume joue͡ au bridge.
2. Maud joue aux cartes.
3. Paule joue aux échecs.

4. Claude joue au foot.
5. Aude joue aux boules.
6. Jérôme joue aux courses.

 092 **6** Répétez. Dites bien l'enchaînement consonantique.

/u/ /o/ /uzu/ **1.** Il nous faut dou|z(e) outils.
2. Il nous faut douze ouvre-boîtes.
3. Il nous faut douze ouvre-bouteilles.

 093 **7** **On va où ?** Exemple : *A : On va à Monaco ?* *B : D'accord pour Monaco.*

Dites bien les deux groupes rythmiques.

1. A : On va à Bordeaux ? **B :** ....

2. A : On va à Fontainebleau ? **B :** ....

3. A : On va à Chenonceau ? **B :** ....

4. A : On va à Pau ? **B :** ....

5. A : On va à Ajaccio ? **B :** ....

094 **À vous !** **Mais si !**
Exemple : *A : Cette chemise n'est pas chère.* *B : Si, je la trouve trop chère.*
1. A : Cette jupe n'est pas serrée. **B :** ....
2. A : Cette écharpe n'est pas longue. **B :** ....
3. A : Cette cravate n'est pas fragile. **B :** ....
4. A : Cette robe n'est pas courte. **B :** ....

Lecture

Mon petit bijou,
Viens sur mes genoux,
Jette des cailloux
À ce vilain hibou
Qui mange les choux
Et qui a des poux.
Joujou !
Comptine.

Pourquoi tous ces mots en « ou » sont-ils rassemblés dans cette comptine ?

8 Répétez. Dites bien la continuité de ces phrases en français courant.

/o ʃ u/ **1.** C'est /ty/ à gau|ch(e) ou à droite ?   **3.** C'est à gauche ou au milieu ?

2. C'est à gauche ou en face ?   **4.** C'est en °haut ou au centre ?

 9 Répétez. Faites bien la chute du /ə/.

/o/ /u/ **1.** Hugo vous l(e) dépose ?

2. Mattéo vous l(e) dispose ?

3. Timéo vous l'impose ?

 À vous !   **Tous sauf vous.**

Exemple : *A : Tous découvrent ce projet?*   *B : Tous le découvrent sauf vous.*

1. A : Tous le redoutent ?   **B :** ....

2. A : Tous le désavouent ?   **B :** ....

3. A : Tous l'écoutent ?   **B :** ....

4. A : Tous l'approuvent ?   **B :** ....

⚠ Prononciation de « tous » : ici, « tous » est un pronom, le « s » est prononcé.

 **10** **Écriture :** Complétez les expressions, lisez-les, puis écoutez l'enregistrement.

1. Il est sourd comme ....

2. Il est rouge comme ....

3. Il est doux comme ....

4. Il est connu comme ....

Lecture

Ô ma fiancée, je te demande encore pourtant quelque chose. Sors un beau soir, au soleil couchant, seule, va dans la campagne, assieds-toi sur l'herbe, sous quelque saule vert, regarde l'occident, et pense à ton enfant qui va mourir.

Alfred de Musset (1810-1857), *Lettre à George.*
George Sand (1804-1876), femme écrivain.

Ariane, ma sœur ! de quel amour blessée
Vous mourûtes aux bords où vous fûtes laissée !

Jean Racine (1639-1699), *Phèdre* (Acte I, scène 3).

Les voyelles orales composées

Les voyelles orales composées, également appelées voyelles antérieures, associent deux mouvements que l'on retrouve rarement dans les autres langues :
- antériorité du point d'articulation (langue en avant),
- labialisation (lèvres en avant).

Elles sont une spécificité du français, ce qui les rend particulièrement difficiles.

Symbole phonétique	Exemple	Leçon
/y/	du	p. 52, p. 56, p. 60 et p. 98
/ø/	deux	p. 60, p. 64, p. 68 et p. 72
/œ/	sœur	p. 72
/ə/	ce	p. 22, p. 76, p. 80 et p. 84

Quelles sont vos difficultés ?

Test 1 p. 52 /i/ – /y/ 099	**Répétez.** **1.** Paris – paru **2.** Gilles – Jules **3.** pile – pull **4.** émis – ému **Retrouvez : cochez le mot que vous entendez dans les phrases.** 1. Paris ❑ paru ❑ 3. pile ❑ pull ❑ 2. Gilles ❑ Jules ❑ 4. émis ❑ ému ❑
Test 2 p. 56 /u/ – /y/ 100	**Répétez.** **1.** sourd – sûr **2.** tout – tu **3.** cours – cure **4.** dessous – dessus **Retrouvez : cochez le mot que vous entendez dans les phrases.** 1. sourd ❑ sûr ❑ 3. cours ❑ cure ❑ 2. tout ❑ tu ❑ 4. dessous ❑ dessus ❑
Test 3 p. 60 /y/ – /ø/ 101	**Répétez.** **1.** cru – creux **2.** du – deux **3.** jus – jeu **4.** plut – pleut **Retrouvez : cochez le mot que vous entendez dans les phrases.** 1. cru ❑ creux ❑ 3. jus ❑ jeu ❑ 2. du ❑ deux ❑ 4. plut ❑ pleut ❑
Test 4 p. 64 /o/ – /ø/ 102	**Répétez.** **1.** pot – peu **2.** vaut – veut **3.** chevaux – cheveux **4.** au – eux **Retrouvez : cochez le mot que vous entendez dans les phrases.** 1. pot ❑ peu ❑ 3. chevaux ❑ cheveux ❑ 2. vaut ❑ veut ❑ 4. au ❑ eux ❑
Test 5 p. 68 /u/ – /ø/ 103	**Répétez.** **1.** nous – nœud **2.** fou – feu **3.** douzième – deuxième **4.** douze – deux **Retrouvez : cochez le mot que vous entendez dans les phrases.** 1. nous ❑ eux ❑ 3. douzième ❑ deuxième ❑ 2. fou ❑ feu ❑ 4. douze ❑ deux ❑
Test 6 p. 72 /ø/ – /œ/ 104	**Répétez.** **1.** œufs – œuf **2.** bœufs – bœuf **3.** peut – peuvent **4.** veut – veulent **Retrouvez : cochez le mot que vous entendez dans les phrases.** 1. œufs ❑ œuf ❑ 3. peut ❑ peuvent ❑ 2. bœufs ❑ bœuf ❑ 4. veut ❑ veulent ❑
Test 7 p. 76 /e/ – /ə/ 105	**Répétez.** **1.** les – le **2.** mes – me **3.** ces – ce **4.** des – de **Retrouvez : cochez le nombre que vous entendez.** 1. pluriel ❑ singulier ❑ 3. pluriel ❑ singulier ❑ 2. pluriel ❑ singulier ❑ 4. pluriel ❑ singulier ❑
Test 8 p. 80 /e/ – /ə/ 106	**Répétez.** **1.** j'ai – je **2.** il s'est – il se **3.** répare – repars **4.** réforme – reforme **Retrouvez : cochez le temps que vous entendez dans les phrases.** 1. passé composé ❑ présent ❑ 3. passé composé ❑ présent ❑ 2. passé composé ❑ présent ❑ 4. passé composé ❑ présent ❑
Test 9 p. 84 /a/ – /ə/ 107	**Répétez.** **1.** la – le **2.** ma – me **3.** sa – se **4.** ta – te **Retrouvez : cochez le genre que vous entendez dans les phrases.** 1. féminin ❑ masculin ❑ 3. féminin ❑ masculin ❑ 2. féminin ❑ masculin ❑ 4. féminin ❑ masculin ❑

vie - vu

/i/ - /y/

Avant d'entrer dans ma cell**u**le
Il a fall**u** me mettre n**u**
Et quelle voix s**i**n**i**stre **u**l**u**le
Gu**i**llaume qu'es-t**u** deven**u** ?

Guillaume Apollinaire (1880-1918), *À la santé*.

/i/	– langue très en avant		– lèvres très tirées – bouche très fermée
/y/	– langue très en avant		– lèvres très arrondies – bouche très fermée

Vous pouvez aussi étudier la prononciation du /i/ p. 32 (*prix, pré*) et p. 34 (*il, elle*).
Vous pouvez aussi étudier la prononciation du /y/ p. 56 (*roue, rue*), p. 60 (*du, deux*) p. 98 (*un, une*) et p. 170 (*Louis, lui*).

/i/ s'écrit le plus souvent :	*i î ï y*	*il île haïr cycle*
/y/ s'écrit le plus souvent :	*u û ü* *eu eû* (conjugaison de « avoir ») *uë*	*perdu dû Saül* *j'ai eu nous eûmes* *aiguë*

E X E R C I C E S ★

108 **1** **Répétez. Dites bien le /y/ du féminin et l'enchaînement vocalique.**

/i y/ /i/
1. Voici une bille.
2. Voici une fille.
3. Voici une pile.
4. Voici une ligne.

109 **2** **Répétez. Dites bien l'enchaînement vocalique dans ces phrases de style courant.**

/y i/
1. Tu iras à Paris ?
2. Tu y resteras longtemps ?
3. Tu y f(e)ras des études ?
4. Tu y travaill(e)ras ?

110 **3** **Quel jour ?** Exemple : *A : *T(u) es venu(e) lundi ? B : Lundi ? *J(e n')ai pas pu.*

Jouez ce dialogue familier en changeant de jour.

1. A : T(u) es venu(e) mardi ?   B : ....

2. A : ....

111 **4** **Dites-moi.** Exemple : *A : Dites-moi, qui étudie la physique ? B : Moi, j'étudie la physique.*

Dites bien les deux groupes rythmiques.

1. A : Et qui étudie la chimie ?   B : ....

2. A : Et qui étudie la sculpture ?   B : ....

3. A : Et qui étudie l'architecture ?   B : ....

4. A : Et qui étudie la musique ?   B : ....

5. A : Et qui étudie la publicité ?   B : ....

112 **À vous !**   **Si, plus.**

Exemple : *A : Tu n(e) fumes plu(s) ?*   *B : Si, j(e) fume plus.*

1. A : Tu ne refuses plus ?   B : ....
2. A : Tu ne calcules plus ?   B : ....
3. A : Tu ne lis plus ?   B : ....
4. A : Tu n'écris plus ?   B : ....
5. A : Tu ne réfléchis plus ?   B : ....

⚠ Prononciation de « plus »
A : lorsque « ne ... plus » est négatif, le « s » de « plus » n'est pas prononcé.
B : lorsque « plus » signifie « davantage », le « s » est prononcé en position finale.

Lecture

Au volant, la vue c'est la vie.   *Slogan de la Prévention routière.*

E X E R C I C E S ★★

113 | **5** **Répétez ces phrases de style courant.**

1. C'était /t/ utile, ce n'est plus /z/ utile.

2. C'était humide, ce n'est plus humide.

3. C'était unique, ce n'est plus unique.

4. C'était universel, ce n'est plus universel.

114 | **6** **Répétez le présent, puis transformez au passé composé.**

/ty a yn/ – /ty a y yn/ Exemple : Tu a(s) un(e) idée ? – Tu a(s) eu un(e) idée ?

1. Tu as une image ? – …

2. Tu as une illusion ? – …

115 | **À vous !** **Tu as vu ?**

Exemple : A : Tu as vu ? C'est *nul !   B : Nul ? Tu es sûr ?

1. A : C'est absurde !   **B :** ......

2. A : C'est ridicule !   **B :** ......

3. A : C'est *super !   **B :** ......

4. A : C'est sublime !   **B :** ......

5. A : C'est stupide !   **B :** ......

116 | **7** **Je fête mon anniversaire.** Exemple : A : Tu veux venir avec Luc ? B : Bien sûr, si tu invites Luc aussi.

Jouez ce dialogue en style courant et utilisez d'autres prénoms :

1. Justine – **2.** Muriel – **3.** Judith – **4.** Juliette – **5.** Jules – **6.** Justin – **7.** Lucas – **8.** Hugo – **9.** Augustin – **10.** Samuel – …

Écriture : Terminez l'histoire suivante. Chaque ligne doit avoir le même nombre de syllabes orales et se terminer par un participe passé en /y/ (rime).

Ah ! Si j'avais su !

Je n'aurais pas dû,

Mais ......

......

......

Lecture

Je le vis, je rougis, je pâlis à sa vue.

Jean Racine (1639-1699), Phèdre (Acte I, scène 3).

17 **8**   **Répétez. Faites bien la chute du /ə/.**

1. Il a dû r(e)fuser.

2. Il a dû r(e)culer.

3. Il a dû r(e)cruter.

118 **À vous !**   **Quelle ambitieuse !**

Exemple : *A : Romane pense à son avenir.*   *B : Et tu y penses, toi ?*

1. A : Elle va à tous les comités.   **B :** ....

2. A : Elle prend part à toutes les réunions.   **B :** ....

3. A : Elle participe à toutes les assemblées.   **B :** ....

4. A : Elle croit obtenir une promotion.   **B :** ....

⚠   Cette réponse est en style courant : « Tu y ...   » = 2 syllabes.

119 **9**   **Regarde le ciel !** Exemple : *A : Comme il est pâle ! B : Il pâlit d(e) plus en plus...*

Trouvez le verbe correspondant à la couleur.

1. A : Et l'horizon ; ce qu'il est bleu !   **B :** ....

2. A : Tu as vu le soleil ? Il est tout rouge !   **B :** ....

3. A : Il y a un gros nuage noir !   **B :** ....

4. A : Ce que le ciel est blanc !   **B :** ....

5. A : Comme le brouillard est jaune !   **B :** ....

120 **10**   **Oui, j'en ai déjà vu une.** Exemple : A : *Tu as déjà vu une éclipse ? B : Bien sûr ! J'en ⁀[n] ai déjà vu⁀ une.*

Dites bien l'enchaînement vocalique.

1. A : Tu as déjà connu une inondation ?   **B :** ....

2. A : Tu as déjà vécu une tornade ?   **B :** ....

3. A : Tu as déjà subi une tempête ?   **B :** ....

4. A : Tu as déjà aperçu une aurore boréale ?   **B :** ....

Lecture

CHIMÈNE. –   Rodrigue, qui l'eût cru ?

RODRIGUE. –   Chimène, qui l'eût dit ?

Pierre Corneille (1606-1684), *Le Cid* (Acte III, scène 4).

16 roue - rue   /u/ - /y/

Les m**û**res sont m**û**res le long des m**u**rs
et des b**ou**ches b**ou**chent nos yeux.

Robert Desnos (1900-1945) *Corps et Biens.*

/u/	– langue très en arrière	– lèvres très arrondies – bouche très fermée	
/y/	– langue très en avant	– lèvres très arrondies – bouche très fermée	

Vous pouvez aussi étudier la prononciation du /u/ p. 46 (*faux, fou*), p. 68 (*douzième, deuxième*) et p. 170 (*Louis, lui*).

Vous pouvez aussi étudier la prononciation du /y/ p. 52 (*vie, vue*), p. 60 (*du, deux*), p. 98 (*une, un*) et p. 170 (*Louis, lui*).

/u/ s'écrit le plus souvent :	– *ou, où, oû* – *aou* – mots empruntés à l'anglais	*route, où, goût* *saoul* *foot, clown, pudding,* ...
/y/ s'écrit le plus souvent :	– *u* *û* *ü* – *eu* *eû* (conjugaison de « avoir ») – *uë*	*perdu* *dû* *Saül* *j'ai eu* *nous eûmes* *aiguë*

EXERCICES ★

121 **1** **Répétez.**

1. J'ouvre. – Vous ouvrez. – Tu ouvres.   2. J'oublie. – Vous oubliez. – Tu oublies.

122 **2** **Répétez.**

/y/ /u/   1. C'est une bouche.   3. C'est une douche.
2. C'est une mouche.   4. C'est une louche.

123 **3** **Tout à fait.** Exemple : *A : C'est vraiment sûr ? B : Tout à fait sûr.*

Dites bien un seul groupe rythmique.

1. **A :** C'est vraiment dur ?   **B :** ....

2. **A :** C'est vraiment juste ?   **B :** ....

3. **A :** C'est vraiment mûr ?   **B :** ....

4. **A :** C'est vraiment pur ?   **B :** ....

5. **A :** C'est vraiment *nul ?   **B :** ....

124 **4** **Et vous ?** Exemple : *A : J'ai lu l(e) journal. B : Vous l'avez lu, vous ?*

Dites bien les intonations.

1. **A :** J'ai cru l'article.   **B :** ....

2. **A :** J'ai entendu la radio.   **B :** ....

3. **A :** J'ai su la nouvelle.   **B :** ....

4. **A :** J'ai vu la *pub.   **B :** ....

125 **À vous !**   Ouille, ouille, ouille !

Exemple : *A : Je souffre souvent.*   *B : Pourquoi tu souffres ?*

1. **A :** Je tousse souvent.   **B :** ....

2. **A :** Je souffle souvent.   **B :** ....

3. **A :** Je rougis souvent.   **B :** ....

4. **A :** Je doute souvent.   **B :** ....

5. **A :** Je me coupe souvent.   **B :** ....

Lecture

Je fume, tu fumes, il tousse, nous toussons, vous toussez, ils s'arrêtent de fumer.

Pef (1939-), *L'ivre de français.*

roue - rue /u/ - /y/

EXERCICES ★★

5 **Répétez.**

1. Vous nous dites vous.

2. Vous nous dites tu.

3. Tu nous dis vous.

4. Tu nous dis tu.

6 **Répétez l'exemple (présent – passé composé) puis changez le complément.**

/u͡ y/ /u͡ y͡ y/   Exemple : *Avez-vou(s)͡ un(e) explication ? – Avez-vou(s)͡ eu͡ un(e) explication ?*

1. .... une indication.

2. .... une occasion.

7 **Plus du tout.** Exemple : *A : Tu cours encore ? B : Ah non, *j(e ne) cours plu(s) du tout.*

Dites bien la réponse en style familier.

1. A : Tu joues encore ?   B : ....

2. A : Tu tournes encore ?   B : ....

3. A : Tu couds encore ?   B : ....

8 **Trop ou pas assez ?** Exemple : *A : La cuisine est suréquipée. B : J(e) la trouve plutôt sous-équipée !*

Répondez par le contraire.

1. A : Cette photo est surexposée.   B : ....

2. A : Sa fortune est surévaluée.   B : ....

3. A : Leur influence est surestimée.   B : ....

4. A : Leur maison est surdimensionnée. B : ....

À vous !   **Vraiment tout !**

Exemple : *A : J'ai r(e)vu tout le dossier.*   *B : Tu as tout r(e)vu ?*

1. A : J'ai reçu tout le courrier.   B : ....

2. A : J'ai relu tous les romans.   B : ....

3. A : J'ai refusé toutes les candidatures.   B : ....

Lecture

Nous marchions toujours, toujours, avec toutes nos voiles, vers le Sud. [...] Et plus nous avancions dans cet océan sombre, plus ce vent devenait froid, plus cett̲e °houle était énorme.

Pierre Loti (1850-1923), *Mon frère Yves.*

E X E R C I C E S ★★★

131 | **9**   Répétez. Dites bien la continuité.

/u/ /y͡ y/ /u/   **1.** Vous /z/ ave(z)͡ aperçu͡ une route ?

2. Vous avez entendu une source ?

3. Vous avez r(e)çu une goutte ?

132 | **10**   **Beaucoup plus !** Exemple : *A : Ces mots sont utilisés ? B : Aujourd'hui, beaucoup plus /z/ utilisés.*

Dites bien la liaison obligatoire.

1. A : Ces expressions sont usuelles ?   **B :** ....

2. A : Ces opinions sont unanimes ?   **B :** ....

3. A : Ces messages sont urgents ?   **B :** ....

4. A : Ces remarques sont utiles ?   **B :** ....

133 | **11**   **Surtout une.** Exemple : *A : J'ai vaincu bien des difficultés. B : Tu en /n/ as vaincu surtou(t)͡ une.*

Dites bien l'intonation d'insistance.

1. A : J'ai combattu bien des injustices.   **B :** ....

2. A : J'ai conçu bien des réformes.   **B :** ....

3. A : J'ai défendu bien des idées.   **B :** ....

4. A : J'ai obtenu bien des satisfactions.   **B :** ....

134 | **À vous !**   **C'est grave ?**
Exemple : *A : Je me suis blessé.*   *B : Avez-vou(s)͡ eu͡ une grave blessure ?*

1. A : Je me suis brûlé.   **B :** ....

2. A : Je me suis coupé.   **B :** ....

3. A : Je me suis écorché.   **B :** ....

4. A : Je me suis piqué.   **B :** ....

5. A : Je me suis égratigné.   **B :** ....

Lecture

Jules n'aurait plus cette peur qu'il avait depuis le jour où il connut Kath, d'abord qu'elle le trompât – et puis seulement qu'elle mourût, puisque c'était fait.

Henri-Pierre Roché, *Jules et Jim.* (1879-1959).

Plaisir d'amour ne dure qu'un moment
Chagrin d'amour dure toute la vie.

Jean-Pierre Claris de Florian (1755-1794).

du - deux

$/y/ - /ø/$

Il pl**eu**t s**u**r les ardoises
Il pl**eu**t s**u**r la basse-cour
Il pl**eu**t s**u**r les framboises
Il pl**eu**t s**u**r mon amour.

Charles Trenet (1913-200), *La folle complainte* (chanson).

/y/	– langue très en avant		– bouche très fermée – lèvres très arrondies	
/ø/	– langue en avant		– lèvres très arrondies – bouche fermée	

Vous pouvez aussi étudier la prononciation du /y/ p. 52 (*vie, vue*), p. 56 (*roue, rue*), p. 98 (*une, un*) et p. 170 (*Louis, lui*).
Vous pouvez aussi étudier la prononciation du /ø/ p. 64 (*chevaux, cheveux*), p. 68 (*douzième, deuxième*), et p. 72 (*œufs, œuf*).

/y/ s'écrit le plus souvent :	– *u* *û* *ü* – *eu* *eû* (conjugaison d'« avoir ») – *uë*	*perdu dû Saül* *j'ai eu nous eûmes* *aiguë*
/ø/ s'écrit le plus souvent :	– *eu* *œu* en fin de syllabe – *eu* *œu* + /z/ ou /t/ – *eû*	*eux vœu deuxième* *Meuse feutre* *jeûne*

EXERCICES ★

135 **1** **Répétez ces questions en style familier. Fermez bien la bouche pour prononcer /ø/.**

/y/ /ø/ **1. Tu peux ?** – * Tu (ne) peux plus ?

2. Tu veux ? – * Tu (ne) veux plus ?

3. *I(l) pleut ? – * I(l) (ne) pleut plus ?

136 **2** **Répétez.**

/ø/ /y/ **1. Deux** fromages – du fromage.   **3.** Deux gâteaux – du gâteau.

2. Deux cafés – du café.   **4.** Deux desserts – du dessert.

137 **3** **Combien ?** Exemple : *A : Combien de sculptures ? B : Des sculptures ? Deux.*

Dites bien les intonations.

1. A : Combien de peintures ?   **B :** ....

2. A : Combien de gravures ?   **B :** ....

3. A : Combien de figures ?   **B :** ....

4. A : Combien d'enluminures ?   **B :** ....

138 **4** **Tu rêves ?** Exemple : *A : *Tu s(e)rais pas un peu amoureuse ? B : Amoureuse ? Tu rêves...*

Dites bien les intonations.

1. A : *Tu serais pas un peu malheureuse ?   **B :** ....

2. A : *Tu serais pas un peu ambitieuse ?   **B :** ....

3. A : *Tu serais pas un peu menteuse ?   **B :** ....

4. A : *Tu serais pas un peu moqueuse ?   **B :** ....

139 **À vous !**   **Un peu plus !**

Exemple : *A : Tu veux de la lumière ? B : *Un peu plus de lumière !*

1. A : Tu veux de la musique ?   **B :** ....

2. A : Tu veux de la lecture ?   **B :** ....

3. A : Tu veux de la confiture ?   **B :** ....

Lecture

Qui peut le plus, peut le moins.

                                        Proverbe.

Poètes, race disparue
Victor Margueritte, l'un d'eux
Il loge chez sa maman rue
Bellechasse, quarante-deux.

                        Stéphane Mallarmé (1842-1898).

E X E R C I C E S ★★

(140) 5 Répétez. Fermez bien la bouche pour prononcer /ø/.

/y/ /y/ /ø/ **1.** *Ah zut ! C'est nuageux ! **3.** *Ah zut ! C'est brumeux !
2. *Ah zut ! C'est pluvieux ! **4.** *Ah zut ! C'est curieux !

(141) 6 Répétez. Faites bien la chute du /ə/.

/ø/ /y/ /ø/ **1.** Et jeudi, tu peux v(e)nir ? **4.** Et jeudi, tu peux t(e) présenter ?
2. Et jeudi, tu peux d(e)mander ? **5.** Et jeudi, tu peux l(e) rencontrer ?
3. Et jeudi, tu peux m(e) rapp(e)ler ? **6.** Et jeudi, tu peux r(e)partir ?

(142) 7 Vous êtes malade. Exemple : *A : Prenez une pilule. B : Une pilule ou deux ?*

Dites bien l'intonation interrogative.

1. A : Prenez une capsule. **B :** ....

2. A : Prenez une gélule. **B :** ....

(143) 8 Pas ceux-là ! Exemple : *A : Tu as lu tous tes livres ? B :* J(e n)'ai pas lu ceux-là.

Dites bien un seul groupe rythmique.

1. A : Tu as vu tous mes timbres ? **B :** ....

2. A : Tu as entendu tous mes disques ? **B :** ....

3. A : Tu as perdu tous tes papiers ? **B :** ....

4. A : Tu as vendu tous tes bijoux ? **B :** ....

(144) À vous ! **Une sur deux.**

Exemple : *A : Ton cours a lieu toutes les semaines ?* *B : Une semaine sur deux !*

1. A : Tu bois un café chaque fois ? **B :** ....

2. A : Tu pars au ski chaque année ? **B :** ....

3. A : Tu as des insomnies toutes les nuits ? **B :** ....

4. A : Tu fais une pause toutes les heures ? **B :** ....

Lecture

Adieu, Meuse endormeuse et douce à mon enfance,
Qui demeures aux prés, où tu coules tout bas.
Meuse, adieu [...]

Charles Péguy (1873- 1914), *Jeanne d'Arc, À Domrémy.*

9 Répétez. Que veux-tu manger ?

/y/ /ø/ /y/ /ø/   **1.** Tu veux du lieu ?   **3.** Tu veux du bleu ?

2. Tu veux du pot-au-feu ?   **4.** Tu veux du moelleux ?

10 Répétez. Dites bien la phrase en style courant.

/y/ /ø/ /y/   **1.** Il n'y a plu(s) qu(e) deux flûtes.   **3.** Il n'y a plus que deux mûres.

2. Il n'y a plus que deux prunes.   **4.** Il n'y a plus que deux sucres.

11 **Les deux sont à eux.** Exemple : *A : À qui sont ces brochures ? B : Ces deux brochures sont à eux.*

Dites bien la continuité

1. A : À qui sont ces reliures ?   **B :** ....

2. A : À qui sont ces couvertures ?   **B :** ....

3. A : À qui sont ces fourrures ?   **B :** ....

4. A : À qui sont ces parures ?   **B :** ....

À vous !   **Eux aussi !**

Exemple : *A : Ses récits sont fabuleux.*   *B : Les tiens sont fabuleux eux aussi.*

1. A : Ses travaux sont fructueux.   **B :** ....

2. A : Ses dessins sont soigneux.   **B :** ....

3. A : Leurs projets sont fumeux...   **B :** ....

4. A : Leurs plans sont curieux...   **B :** ....

 **Écriture :** Continuez ce portrait, commencé par le chanteur Renaud (1952-),

d'une rencontre de vacances. Chaque ligne doit se terminer par la syllabe /ø z/ (rime).

Elle était un p'tit peu campeuse, ...

Un p'tit peu auto-stoppeuse, ...

Lecture

Leur pulpe était délicate et savoureuse comme la chair qui saigne [...].
      André Gide (1869-1951), *Les Nourritures terrestres.*

Baise m'encor, rebaise moy et baise :
Donne m'en un de tes plus savoureus,
Donne m'en un de tes plus amoureus.
      Louise Labé (1524-1566), *Sonnet XVIII.*

chevaux - cheveux

/o/ - /ø/

Vivez, si m'en croyez, n'attendez à demain ;
Cueillez dès aujourd'hui les roses de la vie.

Pierre de Ronsard (1524-1585), *Sonnets pour Hélène.*

/o/	– langue en arrière			
/ø/	– langue en avant		– lèvres très arrondies – bouche fermée	

Vous pouvez aussi étudier la prononciation du /o/ p. 42 (*notre, nôtre*) et p. 46 (*faux, fou*).
Vous pouvez aussi étudier la prononciation du /ø/ p. 60 (*du, deux*) p. 68 (*douzième, deuxième*) et p. 72 (*œufs, œuf*).

/o/ s'écrit le plus souvent :	– *eau* – *au* – *o* en fin de mot – *o* suivi d'une consonne non prononcée – *o* + /z/ – *ô*	*beau, Beauce* *matériau, haut, haute* *do* *dos* *rose* *côte*
/ø/ s'écrit le plus souvent :	– *eu* *œu* en fin de syllabe – *eu* *œu* + /z/ ou /t/ – *eû*	*eux vœu deuxième* *Meuse meute* *jeûne*

E X E R C I C E S ★

 1   Répétez le rôle A et le rôle B. Jouez le dialogue

/o/ /ø/ /øʀo/

1. A : Ça vaut deux euros !   B : Il me faut deux euros…

2. A : Ça vaut vingt-deux euros !   B : Il me faut vingt-deux euros…

 2   Répétez. Dites bien l'enchaînement vocalique.

/ø o/

1. Eu(x) aussi, ils viennent.   3. Eux aussi, ils dorment.

2. Eux aussi, ils partent.   4. Eux aussi, ils sortent.

 3   **J'ai gagné !** Exemple : *A : J'ai gagné au loto. B : Au loto, de mieux en mieux…*

Dites bien les deux groupes rythmiques.

1. A : J'ai gagné au bingo.   B : ....

2. A : J'ai gagné au casino.   B : ....

3. A : J'ai gagné aux dominos.   B : ....

4. A : J'ai gagné au jeu de go.   B : ....

À vous !   **Diminutifs**

Exemple : *A : Quel est le diminutif de Ludovic ?   B : … Ludo, peut-être…*

1. A : Celui de Pierre ?   B : ....

2. A : Et de Charles ?   B : ....

3. A : De Paul ?   B : ....

4. A : Quel est le diminutif de Ségolène ?   B : ....

5. A : Et celui de Nicolas ?   B : ....

6. A : De Madeleine ?   B : ....

Lecture

MAÎTRE DE PHILOSOPHIE .– On peut […] mettre [ces paroles-là] premièrement comme vous avez dit : « Belle marquise, vos beaux yeux me font mourir d'amour. » Ou bien : « D'amour mourir me font, belle marquise, vos beaux yeux. » Ou bien : « Vos yeux beaux d'amour me font, belle marquise, mourir. » Ou bien : « Mourir vos beaux yeux, belle marquise, d'amour me font. » Ou bien : « Me font vos beaux yeux mourir, belle marquise, d'amour. »

Molière (1622-1673), *Le Bourgeois Gentilhomme,* (Acte II, scène 4).

EXERCICES ★★

(153) **4** **Répétez.**

/ø/ /ø/ /o/ /o/

1. Il v**eu**t d**eu**x b**eau**x _[z]_ artich**au**ts.
2. Il veut deux beaux abricots.

3. Il veut deux beaux escargots.
4. Il veut deux beaux °haricots.

(154) **5** **Répétez. Dites bien les enchaînements vocaliques.**

/ø/ /o o/

1. Je jouai(s) un p**eu** en sol**o au**trefois.
2. Je jouais un peu en duo autrefois.
3. Je jouais un peu en trio autrefois.

(155) **6** **Paris Bordeaux.** Exemple : *A : On part de Paris ou de Bordeaux ? B : Il vaut mieux partir de Bordeaux.*

Dites bien la préposition.

1. A : On part vers Paris ou vers Bordeaux ?   **B :** ....

2. A : On part pour Paris ou pour Bordeaux   **B :** ....

3. A : On part à Paris ou à Bordeaux ?   **B :** ....

(156) **À vous !** **Tu lis trop peu !**
Exemple : *A : Tu as lu Victor Hugo ?*   *B : Hugo ? Trop peu.*

1. A : Tu as lu Arthur Rimbaud ?   **B :** ....
2. A : Tu as lu Jean-Jacques Rousseau ?   **B :** ....
3. A : Tu as lu Clément Marot ?   **B :** ....
4. A : Tu as lu Raymond Queneau ?   **B :** ....
5. A : Tu as lu Patrick Modiano ?   **B :** ....

Écrivains : Victor Hugo (1802-1885) ; Arthur Rimbaud (1854-1891) ; Jean-Jacques Rousseau (1712-1778) ; Clément Marot (1496-1544) ; Raymond Queneau (1903-1976) ; Patrick Modiano (1945-).

Écriture : **Continuez cette chanson commencée par Jacques Brel (1929-1978). Chaque ligne doit avoir cinq syllabes et se terminer par la voyelle /ø/ (rime).**

Les filles ....

C'est beau comme un jeu ....

C'est beau comme un feu ....

C'est beaucoup trop peu ....

....

Lecture

• De deux maux, mieux vaut choisir le moindre.   Proverbe.
• Un tien vaut mieux que deux tu l'auras !   Proverbe.

EXERCICES ★★★

 7 Répétez. Dites bien l'enchaînement vocalique.

/o/ /ø o/
1. Il en faut deu(x) au moins.
2. Il en pose deux au moins.

3. Il en chauffe deux au moins.
4. Il en *fauche deux au moins.

 8 Répétez. Dites bien la continuité.

/ø/ /ø o/
1. Peu d'entr(e) eu(x) osent le déranger.
2. Peu d'entre eux osent le prévenir.
3. Peu d'entre eux osent le contredire.

4. Peu d'entre eux osent le détromper.
5. Peu d'entre eux osent le démentir.

 9 **Il est pénible !** Exemple : *A : Une fois de plus, Mathieu a été furieux ! B : Furieux ? Oh, trop c'est trop !*

Dites bien les intonations.

1. A : Il a été odieux ! B : ....

2. A : ... °haineux ! B : ....

3. A : ... injurieux ! B : ....

4. A : ... °hargneux ! B : ....

5. A : ... teigneux ! B : ....

 À vous ! **Je n'en veux aucun.**

Exemple : *A : Tu devrais chercher des secours.*   *B : Je n(e) veux aucun secours.*

1. A : Tu devrais chercher des conseils. B : ....
2. A : Tu devrais chercher du soutien. B : ....
3. A : Tu devrais chercher des avis. B : ....
4. A : Tu devrais chercher des sponsors. B : ....
5. A : Tu devrais chercher des partenaires. B : ....
6. A : Tu devrais chercher des parrains. B : ....

Écriture : **Trouvez les domaines dans lesquels ces « grands hommes » ont brillé et entraînez-vous à dire leurs noms et leurs dates.**

Exemple : *Pablo Picasso (1881-1973) : la peinture*

François Truffaut (1932-1984) ....
Jean-Marie G. Le Clézio (1940-)..
André Le Nôtre (1613-1700) ....
Camille Pissarro (1830-1903) ....
Juliette Gréco (1927-) ....
Louis Renault (1827-1944) ....

Georges Clemenceau (1841-1929) ....
Louis Le Vau (1612-1670) ....
André Malraux (1901-1976) ....
Louis Arago (1786-1853) ....
Le Douanier Rousseau (1844-1910) ....
Jean-Philippe Rameau (1683-1764)..

Lecture

Peu de chose nous console, parce que peu de chose nous afflige.

Blaise Pascal (1623-1662), *Pensées, IX, 25.*

19 douzième - deuxième /u/ - /ø/

Seul le ch**ou**-fleur a l'air h**eu**r**eu**x
de p**ou**rrir sans savoir qu'il p**ou**rrit
ni qu'il est un ch**ou**-fleur,

Alain Bosquet (1919-), *Le chou-fleur, Quatre testaments.*

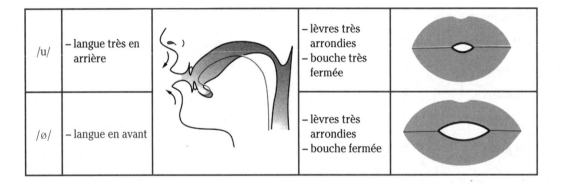

/u/	– langue très en arrière		– lèvres très arrondies – bouche très fermée	
/ø/	– langue en avant		– lèvres très arrondies – bouche fermée	

Vous pouvez aussi étudier la prononciation du /u/ p. 46 (*faux, fou*), p. 56 (*roue, rue*) et p. 170 (*Louis, lui*).
Vous pouvez aussi étudier la prononciation du /ø/ p. 60 (*du, deux*), p. 64 (*chevaux, cheveux*), p. 68 (*douzième, deuxième*) et p. 72 (*œufs, œuf*).

/u/ s'écrit le plus souvent :	– *ou, où, oû*	*route, où, goût*
	– *aou*	*saoul*
	– mots empruntés à l'anglais	*foot, clown, pudding*
/ø/ s'écrit le plus souvent :	– *eu œu* en fin de syllabe	*eux vœu deuxième*
	– *eu œu* + /z/ ou /t/	*Meuse meute*
	– *eû*	*jeûne*

E X E R C I C E S ★

(161) **1**   Répétez. Langue très en arrière pour /u/, langue en avant pour /ø/.

/u/ /u/ – /u/ /ø/   **1.** Nous tou<u>s</u>. – Nous d<u>eux</u>.   **3.** Nous toutes. – Nous deux.

   2. Vous tous. – Vous deux.   **4.** Vous toutes. – Vous deux.

⚠   Prononciation de « *tous* » : « *tous* » est un pronom, le « s » est prononcé.

(162) **2**   Répétez. Dites bien l'enchaînement vocalique.

/ø u/   **1.** C'est p<u>eu ou</u> c'est beaucoup ?   **4.** C'est mieu(x) ou c'est moins bien ?

   2. C'est bleu ou c'est vert ?   **5.** C'est creux ou c'est plat ?

   3. C'est vieux ou c'est récent ?

(163) **3**   **Ces deux vestes.** Exemple : *A : Ces deux vestes me plaisent. B : Les deux vous plaisent ?*

Dites bien l'intonation.

1. A : Elles me tentent.   B : ....

2. A : Elles me vont.   B : ....

3. A : Elles me conviennent.   B : ....

4. A : Les deux me semblent chères.   B : ....

(164) **4**   **Mes parents et moi.** Exemple : *A : Tes parents ont l'air malheureux... B : Ils sont malheureux*
pour moi.

Dites bien les deux groupes rythmiques.

1. A : Ils ont l'air soucieux...   B : ....

2. A : Ils ont l'air nerveux...   B : ....

3. A : Ils ont l'air anxieux...   B : ....

4. A : Ils ont l'air ambitieux...   B : ....

5. A : Ils ont l'air heureux...   B : ....

(165) **À vous !**   **Toutes les deux ?**

Exemple : *A : Est-ce qu'il peut nous voir ?*   *B : Il peut vous voir toutes les deux ?*

1. A : Est-ce qu'il peut nous rencontrer ?   B : ....

2. A : Est-ce qu'il peut nous inviter ?   B : ....

3. A : Est-ce qu'il peut nous attendre ?   B : ....

Lecture

À nous deux maintenant !   Honoré de Balzac (1799-1850), *Le Père Goriot.*

Il n'y a pas d'amour heureux
Mais c'est notre amour à tous les deux   Louis Aragon (1897-1982), *La Diane Française.*

E X E R C I C E S ★★

166   **5**   Répétez. Dites bien l'intonation.

/ ø z u/

1. Elle est chanteu|s(e) **ou** danseuse...

2. Elle est patineuse ou nageuse...

3. Elle est coiffeuse ou maquilleuse.

4. Elle est enquêteuse ou contrôleuse.

5. Elle est °hockeyeuse ou °handballeuse...

167   **6**   Répétez. Langue en avant pour /ø/, très en arrière pour /u/.

/ø/ – u/

1. Va au **d**euxième ! – Va au **d**ouzième !

2. C'est dans l(e) deuxième ! – C'est dans l(e) douzième !

3. Achète deux œufs ! – Achète douze œufs !

4. Attends deux jours ! – Attends douze jours !

5. Il va avoir deux ans. – Elle va avoir douze ans.

168   **7**   **La météo.** Exemple : *A : C'est nuageux ? B : Ça s(e)ra nuageux sous peu.*

Faites bien la chute du /ə/.

1. A : C'est pluvieux ?   **B :** ....

2. A : C'est neigeux ?   **B :** ....

3. A : C'est brumeux ?   **B :** ....

4. A : C'est orageux ?   **B :** ....

169   **À vous !**   **Touriste...**

Exemple : *A : Je prends des billets ?*   *B : Prends[z] -en deu(x) ou trois !*

1. A : Je retiens des places ?   **B :** ....

2. A : Je choisis des prospectus ?   **B :** ....

3. A : J'appelle des hôtels ?   **B :** ....

4. A : Je visite des chambres ?   **B :** ....

5. A : Je demande des brochures ?   **B :** ....

Lecture

DOÑA SOL :   Je ne vous en veux pas. Seulement j'en mourrai.

HERNANI :   Mourir ? pour qui ? pour moi ? Se peut-il que tu meures

Pour si peu ?

DOÑA SOL :   Voilà tout.

Victor Hugo (1802-1885), *Hernani* (Acte III, scène 4).

Hélas ! Si vous vouliez, que je serais heureux !

Pierre Corneille (1606-1684), *Sonnet.*

170 **8** Répétez. Langue en avant pour /ø/, langue en arrière pour /u/.

/ø/ /u/ /u/ /ø/

1. Il en v**eu**t p**our** n**ous** d**eux**.

2. Il en veut pour tous deux.

3. Il en veut pour vous deux.

4. Il en veut pour eux deux.

171 **9** Répétez ces expressions avec « coup ».

1. C'est l(e) moment du coup d(e) feu.

2. J'ai eu un coup d(e) foudre pour eux.

3. Je viendrai sur le coup d(e) deux heures.

4. Il est sous l(e) coup de deux condamnations.

172 **10** **Eux ou vous ?** Exemple : *A : L'architecte commence avec les voisins. B : Avec eu(x) ou avec vous ?*

Dites bien les enchaînements vocaliques et changez la préposition.

1. A : Elle continue sans eux. B : ....

2. A : Elle passe par eux. B : ....

3. A : Elle le fait pour eux. B : ....

4. A : Elle termine chez eux. B : ....

173 **À vous !** **Je peux aussi.**

Exemple : *A : Je peux le faire.* *B : Si vous pouvez l(e) faire, je peux aussi.*

1. A : Je peux le croire. B : ....

2. A : Je peux le supporter. B : ....

3. A : Je peux le comprendre. B : ....

4. A : Je peux le chercher. B : ....

174 **Écriture :** Trouvez l'adjectif en /ø/ formé sur les noms suivants. Entraînez-vous à les dire, puis écoutez l'enregistrement.

Exemple : *houle – houleux*

⚠ Tous les adjectifs ne se forment pas sur le même modèle.

1. coût : ....

2. fougue : ....

3. doute : ....

4. mousse : ....

5. souci : ....

6. goût : ....

7. oubli : ....

8. miel : ....

9. vigueur : ....

10. saveur : ....

11. douleur : ....

12. rigueur : ....

Lecture

Un coup de feu au genou ; et Dieu sait les bonnes et mauvaises aventures amenées par ce coup de feu.

Denis Diderot (1713-1784), *Jacques le Fataliste.*

œufs - œuf

$/ø/ - /œ/$

> Un homme h**eu**r**eu**x est celui dont le bonh**eu**r est écrit là-haut ;
> et par conséquent celui dont le malh**eu**r est écrit là-haut est un homme
> malh**eu**r**eu**x.
>
> Denis Diderot (1713-1784), *Jacques le Fataliste.*

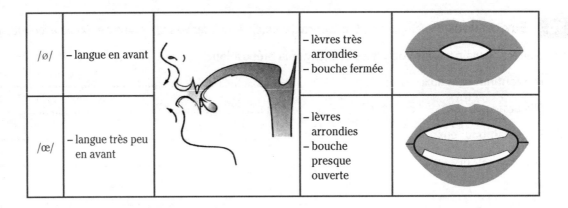

/ø/	– langue en avant	– lèvres très arrondies – bouche fermée	
/œ/	– langue très peu en avant	– lèvres arrondies – bouche presque ouverte	

Vous pouvez aussi étudier la prononciation du /ø/ p. 60 (*du, deux*), p. 64 (*chevaux, cheveux*) et p. 68 (*douzième, deuxième*).

⚠ En syllabe non accentuée, on peut entendre un /Œ/ intermédiaire. *Ex. : déj**eu**ner*

/ø/ s'écrit le plus souvent :	– ***eu*** ***œu*** en fin de syllabe – ***eu*** ***œu*** + /z/ ou /t/ prononcés – ***eû***	*eux vœu deuxième* *Meuse meute* *jeûne*

/œ/ s'écrit le plus souvent :	– ***eu*** ***œu*** + consonne prononcée autre que /z/ ou /t/
	– Cas particuliers :
	  « ***-cueil*** » ou « ***-gueil*** »
	  œ
	– mots empruntés à l'anglais
		heure œuf
		
		accueil orgueil
		œil
		club t-shirt roller

E X E R C I C E S ★

175 **1** **Répétez. Lèvres très arrondies pour /ø/, arrondies pour /œ/.**

/ø ø/ – /œ œ/

1. Deux nageuses. – Plusieurs nageurs.

2. Deux skieuses. – Plusieurs skieurs.

3. Deux coureuses. – Plusieurs coureurs.

4. Deux golfeuses. – Plusieurs golfeurs.

176 **2** **Répétez : singulier – pluriel.**

/œ/ – /ø/

1. C'est un gros bœu_f_. – Ce sont d(e) gros bœu(fs).

2. Tu veux un œu_f_ ? – Tu veux des œufs ?

3. Elle a l'œ_il_ noir. – Elle a les yeux noirs.

177 **3** **Bien sûr que je le veux !** *Exemple : A : Tu veux leur accord ? B : *Bien sûr qu_e_ j(e) veux leur accord.*

Dites bien les intonations.

1. A : Tu veux leur explication ?   **B :** ....

2. A : Tu veux leur assurance ?   **B :** ....

3. A : Tu veux leur invitation ?   **B :** ....

4. A : Tu veux leur signature ?   **B :** ....

178 **4** **Deux seulement.** *Exemple : A : Tu mets combien d'œufs ? B : J'en mets **deux** seulement.*

Dites bien les deux groupes rythmiques.

1. A : Tu manges combien d'œufs ?   **B :** ....

2. A : Tu casses combien d'œufs ?   **B :** ....

3. A : Tu prends combien d'œufs ?   **B :** ....

179

À vous !   À quelle heure ?

Exemple : A : J'aimerais te voir demain.   *B : À quelle heure tu peux m(e) voir ?*

1. A : J'aimerais te rencontrer demain.   **B :** ....

2. A : J'aimerais te téléphoner demain.   **B :** ....

3. A : J'aimerais te joindre demain.   **B :** ....

4. A : J'aimerais te parler demain.   **B :** ....

5. A : J'aimerais te rendre visite demain.   **B :** ....

Lecture

Un balai neuf glisse mieux mais le vieux connaît les coins.

Proverbe.

Il pleur_e_ dans mon cœur
Comme il pleut sur la ville,
Quelle est cette langueur
Qui pénètr_e_ mon cœur ?

Paul Verlaine (1844-1896), *Romances sans paroles.*

E X E R C I C E S ★★

 5 **Répétez.**

/ø/ /œ/
1. Il est un p**eu** s**eu**l.   3. Il était d**eu**x h**eu**res.
2. Il a un p**eu** p**eu**r.   4. Il y avait d**eu**x f**eu**illes.

 6 **Répétez. Dites bien l'enchaînement vocalique.**

/œ/ /ø/
1. Répare(z) un s**eu**l pn**eu** !   3. Fabriquez un s**eu**l n**œu**d !
2. Allumez un s**eu**l f**eu** !   4. Prenez un s**eu**l j**eu** !

7 **Précis.** Exemple : *A : Il est deux heures ? B : Il est presqu**e** deux /z/ heures.*

Dites bien le /ə/ final .

1. A : Il est deux heures deux ?   **B :** ....

2. A : Il est ving**t**-deux heures ?   **B :** ....

3. A : Il est ving**t**-deux heures deux ?   **B :** ....

8 **Un tout petit peu.** Exemple : *A : Il reste du beurre ? B : Il n**e** reste qu'un tout p(e)tit peu d(e) beurre.*

Faites bien les chutes du /ə/.

1. A : Il reste du bœuf ?   **B :** ....

2. A : Il reste du tilleul ?   **B :** ....

3. A : Il reste du cerfeuil ?   **B :** ....

4. A : Il reste du millefeuille ?   **B :** ....

À vous !   **C'est la meilleure !**
Exemple : *A : C'est une bonne footballeuse.   B : Ah ! La meilleure des footballeuses !*
1. A : C'est une bonne marcheuse.   **B :** ....
2. A : C'est une bonne joggeuse.   **B :** ....
3. A : C'est une bonne lutteuse.   **B :** ....
4. A : C'est une bonne tireuse.   **B :** ....
5. A : C'est une bonne volleyeuse.   **B :** ....

Lecture

J'ai vu un gros bœuf / Danser sur des œufs / Sans rien en casser.

Chanson populaire.

... Anne, ta seul**e** grâce
Éteindr**e** peut l**e** feu qu**e** j**e** sens bien,
Non point par eau, par neig**e** ni par glace,
Mais par sentir un feu pareil au mien.

Clément Marot (1496-1544), *D'Anne qui lui jeta de la neige.*

E X E R C I C E S ★★★

(185) **9** **Répétez l'indicatif, puis transformez au subjonctif.**

/ø/ /ø/ – /ø/ /œ/ /ø/   Exemple : *Il pleut un peu. – Il se peut qu'il pleuve un peu.*

1. Il nous émeut un peu. – ....

2. Il nous en veut un peu. – ....

(186) **10** **Répétez ces expressions avec « bleu ».**

/i/ /ø/

1. Elle est très fleur bleue.   3. Tu m'as fait une peur bleue.

2. Je préfère le bœuf bleu.   4. Voici l'heure bleue.

(187) **11** **Tes copains et toi.** Exemple : *A : Tes copains sont joueurs comme toi ? B : Bien sûr,*
ils sont joueur|r(s) eu(x) *aussi.* **Dites bien la continuité.**

1. **A :** Ils sont farceurs comme toi ?   **B :** ....

2. **A :** Ils sont blagueurs comme toi ?   **B :** ....

3. **A :** Ils sont rêveurs comme toi ?   **B :** ....

4. **A :** Ils sont bluffeurs comme toi ?   **B :** ....

(188) **À vous !** **Loin ?**
Exemple : *A : Tes parents veulent partir ?*   *B : Pourvu qu'eux deux veuillent partir !*
1. **A :** Tes parents veulent déménager ?   **B :** ....
2. **A :** Ils veulent s'en aller ?   **B :** ....
3. **A :** Ils veulent s'éloigner ?   **B :** ....

Écriture : On peut entendre, dans le style familier, des mots issus du verlan tels que
« ripou » pour « pourri ». Dans certains cas, il y a interversion des consonnes avec introduction
d'un /œ/. C'est ainsi que « arabe » se transforme en « *beur », « femme » en « *meuf »,
« fête » en « *teuf », « mère » en « *reum », « *flic » en « keuf », « *mec » en « keum »…

Trouvez des proverbes en verlan sur le modèle de *« Qui vole un œuf, vole un bœuf »,* **puis lisez-les.**

Exemple : *Qui va à la teuf, y va avec une meuf.*

....
....

Lecture

La mer, la vaste mer, console nos labeurs !
Quel démon a doté la mer, rauque chanteuse
Qu'accompagne l'immense orgue des vents grondeurs,
De cette fonction sublime de berceuse ?
                    Charles Baudelaire (1821-1867), « Moesta et Errabunda », *Les Fleurs du Mal.*

21   les - le   /e/ - /ə/

Dedans Paris, dedans Rouen,
Il y a des comtes et des comtesses,
Il y a des ducs et des barons
Qui regrettent la mort de Biron.
Chanson populaire (1602).

/e/	– langue en avant		– lèvres très tirées – bouche fermée
/ə/	– langue centrale		– lèvres arrondies – bouche presque ouverte

Vous pouvez aussi étudier la prononciation du /e/ p. 32 (*prix, pré*), p. 36 (*parlait, parlé*), p. 40 (*les, la*) et p. 80 (*j'ai, je*)

Vous pouvez aussi étudier la prononciation du /ə/ p. 80 (*j'ai, je*) et p. 84 (*la, le*). Cette voyelle peut également ne pas être prononcée (chute du /ə/) voir p. 22.

 Le /ə/, normalement prononcé « ouvert » comme /œ/, peut se prononcer /ø/ « fermé » en syllabe accentuée (voir p. 72).

/e/ s'écrit le plus souvent :	– *é*
	– *e* + « *r, z, f, d* »
	    non prononcés en fin de mot
	– *e* + double consonne
	    sauf dans les monosyllabes (p. 30)
	– *es* dans les monosyllabes △
	– *ai* final △
	– *ay*
		chanté
		chanter chantez clef pied
		
		dessin
		
		les
		gai, j'aimai, j'aimerai
		payer

△ Dans ces cas, on peut entendre un /E/ intermédiaire (voir p. 36).

/ə/ s'écrit le plus souvent :	– *e* dans les monosyllabes – *e* en fin de syllabe – *e* suivi de *ss* – Cas particuliers : *on* – *ais* dans certaines formes de ***faire***	*le* *reprendre appartement* *dessus* *monsieur* *faisons faisait*

189 **1** /e/ – /ə/ Répétez : singulier – pluriel. Lèvres arrondies pour /e/.

1. Les chefs. – Le chef.   **3.** Les présidents. – Le président.

2. Les patrons. – Le patron.   **4.** Les directeurs. – Le directeur.

190 **2** /e/ – /ə/ Répétez : pluriel – singulier.

1. Il les sucre. – Il le sucre.   **4.** Il les goûte. – Il le goûte.

2. Il les sale. – Il le sale.   **5.** Il les mange. – Il le mange.

3. Il les poivre. – Il le poivre

191 **3** À la papeterie. Exemple : *A : Je cherche des ciseaux. B : *(Il n')y a pas d(e) ciseaux.*

Dites bien le style familier.

1. A : Je cherche des stylos.   **B :** ....

2. A : Je cherche des cahiers.   **B :** ....

3. A : Je cherche des crayons.   **B :** ....

4. A : Je cherche des gommes.   **B :** ....

192 **4** Très ! Exemple : *A : Ce musée est moderne ? B : Ce musée ? Très moderne.*

Dites bien les intonations.

1. A : Ce livre est récent ?   **B :** ....

2. A : Ce film est beau ?   **B :** ....

3. A : Ce programme est nouveau ?   **B :** ....

4. A : Ce concert est bien ?   **B :** ....

193 **À vous !** **Pour le dîner...**

Exemple : *A : J'achète le fromage ?*   *B : Mais oui, achète-le !*

1. A : Je coupe le pain ?   **B :** ....

2. A : Je prépare le dessert ?   **B :** ....

3. A : Je sors le vin ?   **B :** ....

4. A : Je sers le cognac ?   **B :** ....

Lecture

Beaucoup de premiers seront derniers et de derniers seront premiers.

Nouveau Testament, (Évangile selon saint Matthieu, chapitre 19, verset 30).

E X E R C I C E S ★★

5   **Répétez. Lèvres arrondies pour /ə/.**

/e/ /ə/

1. Les agences préparent l<u>e</u> voyage.
2. Les secrétaires réservent le mini-bus.

3. Les hôtesses reçoivent le groupe.
4. Les guides discutent le prix.

6   **Répétez. Dites bien la phrase en style courant.**

/ə/ /(ə)/

1. Elle n<u>e</u> classe pas c(e) dossier.
2. Elle ne range pas ce papier.

3. Elle ne connaît pas ce problème.
4. Elle ne rédige pas ce projet.

7   **Il fait froid !** Exemple : *A : À qui sont ces affaires ? B : Excusez-moi, ce sont mes affaires...*

Dites bien la réponse en style courant.

1. A : Et ces chaussures ?   B : ....

2. A : Et ces bottes ?   B : ....

3. A : Et ces lunettes ?   B : ....

4. A : Et ces gants ?   B : ....

5. A : Et ces moufles ?   B : ....

8   **Conseil.** Exemple : *A : Tu vois ce conseiller ? B : C<u>e</u> conseille(r̂) et ses assistants.*

Dites bien l'enchaînement vocalique.

1. A : Tu vois ce financier ?   B : ....

2. A : Tu vois ce banquier ?   B : ....

3. A : Tu vois ce P.D.G. ?   B : ....

À vous !   **Le journal.**

Exemple : *A : Le journal, j<u>e</u> l(e) prends ?   B : Prends-l<u>e</u> évidemment !*

1. A : Et je le paie ?   B : ....
2. A : Je le lis ?   B : ....
3. A : Je le donne ?   B : ....
4. A : Je le jette ?   B : ....

▬▬▬ Lecture

Quand mes amis sont borgnes, je les regarde de profil.

Joseph Joubert (1754-1824), *Pensées.*

Je suis entré sur scène et j'ai commencé à ne rien faire... sans rien dire ! Ça n'a l'air de rien...
mais il faut le faire... ! Et il ne suffit pas de le dire...

Raymond Devos (1922-2006), *À plus d'un titre.*

(199) 9 Répétez le pluriel puis transformez au singulier.

/e/ – /ə/   Exemple : *Apport**ez** tout ! – Apport**e** tout !*

1. Contestez tout ! – ....

2. Démontrez tout ! – ....

3. Adaptez tout ! – ....

4. Acceptez tout ! – ....

(200) 10 Répétez. Dites bien la deuxième phrase en style courant.

/e/ – /ə/   **1.** Il y a **des** tableaux. – Il y a d(e) beaux tableaux.

2. Il y a des meubles. – Il y a de nombreux meubles.

3. Il y a des cuivres. – Il y a de jolis cuivres.

4. Il y a des vitraux. – Il y a de grands vitraux.

5. Il y a des manuscrits. – Il y a de vieux manuscrits.

(201) 11 **Rassurez-vous !** Exemple : *A : Ne vous acharnez pas ! B : Rassurez-vous, j**e** n(e) m'acharn**e** plus.*

Dites bien la réponse en style courant.

1. A : Ne vous attristez pas !   **B :** ....

2. A : Ne vous alarmez pas !   **B :** ....

3. A : Ne vous emportez pas !   **B :** ....

4. A : Ne vous énervez pas !   **B :** ....

(202) **À vous !**   **Enthousiaste !**
Exemple : *A : Ce conférencier est passionnant.   B : C'est l(e) conférencier qu(e) vous préférez ?*

1. A : Ce musicien est *génial !   **B :** ....

2. A : Ce comédien est excellent !   **B :** ....

3. A : Ce modèle est splendide !   **B :** ....

4. A : Ce mannequin est superbe !   **B :** ....

Lecture

Il n'y a pas moins d'éloquence dans le ton de la voix, dans les yeux, et dans l'air de la personne, que dans le choix des paroles.

François de La Rochefoucauld (1613-1680), *Maxime n° 249.*

Sous le poids des tabous que je porte en moi comme héritage, je me retrouve désertée des chants de l'amour arabe. Est-ce d'avoir été expulsée de ce discours amoureux qui me fait trouver aride le français que j'emploie ?

Assia Djébar (1936-), *L'Amour, la fantasia.*

22 j'ai - je /e/ - /ə/

À mesure que je vis, je dévie
À mesure que je pense, je dépense
À mesure que je meurs, je demeure.
                Jean Tardieu (1903-1995).

| /e/ | – langue en avant | | – bouche fermée
– lèvres très tirées | |
| /ə/ | – langue centrale | | – lèvres arrondies
– bouche presque ouverte | |

Vous pouvez aussi étudier la prononciation du /e/ p. 32 (*prix, pré*), p. 36 (*parlait, parlé*), p. 40 (*les, la*) et p.76 (*les, le*).

Vous pouvez aussi étudier la prononciation du /ə/ p. 76 (*les, le*) et p. 84 (*la, le*). Cette voyelle peut également ne pas être prononcée (chute du /ə/) voir p. 22.

 Le /ə/, normalement prononcé « ouvert » comme /œ/, peut se prononcer /ø/ « fermé » en syllabe accentuée (voir p. 72).

| | – *é*
– *e* + « *r, z, f, d* »
non prononcés en fin de mot
– *e* + double consonne
sauf dans les monosyllabes (p. 30)
– *es* dans les monosyllabes ⚠
– *ai* final ⚠
– *ay* | *chanté*
chanter   chantez   clef   pied
dessin

les
gai, j'aimai, j'aimerai
payer |
| /e/ s'écrit le plus souvent : | | |

⚠ Dans ces cas, on peut entendre un /E/ intermédiaire (voir p. 36).

| | – *e* dans les monosyllabes
– *e* en fin de syllabe
– *e* suivi de *ss*
– Cas particuliers : *on*
– *ais* dans certaines formes de *faire* | *le*
reprendre   appartement
dessus
monsieur
faisons   faisait |
| /ə/ s'écrit le plus souvent : | | |

E X E R C I C E S ★

(203) **1** Répétez : passé composé – présent. Lèvres arrondies pour /ə/.

/e/ – /ə/
1. J'ai ri. – Je ris.
2. J'ai dit. – Je dis.
3. J'ai rougi. – Je rougis.
4. J'ai fini. – Je finis.

(204) **2** Répétez le présent, puis transformez au passé composé. Exemple : *Il se réveille. – Il s'est réveillé.*

/ə/ – /e/
1. Il se prépare. – ....

2. Il se dépêche. – ....

3. Il se décide. – ....

(205) ## À vous !   Oui, je crois !
Exemple : *A : C'est vrai ?   B : C'est vrai, je crois !*

1. **A** : C'est juste ?   **B** : ....
2. **A** : C'est faux ?   **B** : ....
3. **A** : C'est sûr ?   **B** : ....
4. **A** : C'est clair ?   **B** : ....

(206) **3** **Et moi !** Exemple : *A : J'ai beaucoup grossi. B : Moi aussi, je grossis beaucoup.*

Dites bien les deux groupes rythmiques.

1. **A** : J'ai beaucoup maigri.   **B** : ....

2. **A** : J'ai beaucoup grandi.   **B** : ....

3. **A** : J'ai beaucoup minci.   **B** : ....

(207) **4** **Demain.** Exemple : *A : Je l'ai donné hier. B : Moi, j(e) le donne demain.*

Dites bien la séquence « j(e) le ».

1. Je l'ai proposé hier.   **B** : ....

2. Je l'ai réclamé hier.   **B** : ....

3. Je l'ai prêté hier.   **B** : ....

4. Je l'ai préparé hier.   **B** : ....

▬▬ Lecture

Madame se meurt, Madame est morte.

Jacques Bénigne Bossuet (1627-1704), *Oraison funèbre d'Henriette d'Angleterre.*

– Prince, où êtes-vous ?

– J'essuie là ! (*le prince s'occupait de la vaisselle !*)   Pef (1939-), *L'ivre de français.*

Ce prince fait une erreur phonétique ; il aurait dû répondre « Je suis là ! ».

E X E R C I C E S ★★

5 **Répétez.** Lèvres arrondies pour /ə/.

/ə/ /e/
1. Elle tenait à téléphoner.
2. Elle demandait à décider.
3. Elle devinait ta détresse.

4. Elle retardait sa réponse.
5. Elle prenait des précautions.
6. Elle remarquait leur réaction.

6 **Répétez le passé composé, puis transformez au présent.**

Dites bien l'assimilation du /ə/ de « je » au présent.

/ʒ e/ – /ʒ(ə)/ Exemple : *C'est c(e) que j'ai fait. – C'est c(e) que j(e) fais.*

1. C'est ce que j'ai peint. – ....

2. C'est ce que j'ai fini. – ....

3. C'est ce que j'ai saisi. – ....

7 **Ça ne va pas.** Exemple : *A : J'ai déplacé le fauteuil. B : Eh bien, replac(e)-le !*

Dites bien les intonations.

1. **A :** J'ai démonté le volet.   **B :** ....

2. **A :** J'ai débranché le fil.   **B :** ....

3. **A :** J'ai dévissé le couvercle.   **B :** ....

4. **A :** J'ai débouché le flacon.   **B :** ....

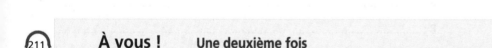

À vous !   **Une deuxième fois**

Exemple : *A : Vous avez vu l'exposition ?*   *B : Bien sûr ! On l'a même revue !*

1. **A :** Vous avez lu l'article ?   **B :** ....
2. **A :** Vous avez pris l'autobus ?   **B :** ....
3. **A :** Vous avez fait l'exercice ?   **B :** ....
4. **A :** Vous avez connecté votre ordinateur ?   **B :** ....
5. **A :** Vous avez contrôlé le branchement ?   **B :** ....

Lecture

Levez-vous vite, orages désirés, qui devez emporter René dans les espaces d'une autre vie !

René de Chateaubriand (1768-1848), *Le Génie du Christianisme.*

Je forme une entreprise qui n'eut jamais d'exemple et qui n'aura point d'imitateur. Je veux montrer à mes semblables un homme dans toute la vérité de la nature ; et cet homme, ce sera moi.

Jean-Jacques Rousseau (1712-1778), *Les Confessions* (livre I).

8 **Répétez.**

212 /(ə)/ – /ə/ – /ɛ/

1. Ils dorm(e)nt. – Ils dorment bien. – Ils dormaient bien.
2. Ils servent. – Ils servent vite. – Ils servaient vite.
3. Ils partent. – Ils partent tôt. – Ils partaient tôt.
4. Ils sortent. – Ils sortent tard. – Ils sortaient tard.

9 **Répétez. Faites bien la chute du** /ə/ **du préfixe « re- » dans la deuxième phrase.**

213 /e/ – /(ə)/

1. On les **ré**forme. – On les r(e)forme.
2. On en répare. – On en repart.
3. On les répand. – On les repend.

10 **Impatient.** Exemple : *A : J'étais impatient d'être engagé. B : D'ailleurs, je t'ai engagé tout d(e) suite.*

214

Dites bien le /ə/ **initial d'insistance, puis la chute du** /ə/.

1. A : J'étais impatient d'être embauché.   **B :** ....

2. A : J'étais impatient d'être convoqué.   **B :** ....

3. A : J'étais impatient d'être pris.   **B :** ....

215

À vous !   **Recommence !**
Exemple : *A : Je redis tout ?*   *B : C'est ça, redis tout c(e) que j'ai dit.*
1. A : Je refais tout ?   **B :** ....
2. A : Je repeins tout ?   **B :** ....
3. A : Je retranscris tout ?   **B :** ....
4. A : Je retraduis tout ?   **B :** ....

216

Écriture : **Trouvez le nom formé sur l'adjectif, entraînez-vous à le lire, puis écoutez l'enregistrement.**

Exemple : *pauvre – la pauvreté.*

1. ferme – ....
3. chaste. – ....
5. âcre – ....

2. propre – ....
4. âpre – ....
6. opiniâtre – ....

Lecture

Je n'ai plus que les os, un squelette je semble,
Décharné, dénervé, démusclé, dépoulpé,
Que le trait de la Mort sans pardon a frappé :
Je n'ose voir mes bras que de peur je ne tremble.

Pierre de Ronsard (1524-1585).

la - le

/a/ - /ə/

L**a** propriété, c'est l**e** vol.
Pierre Proudhon (1809-1868).

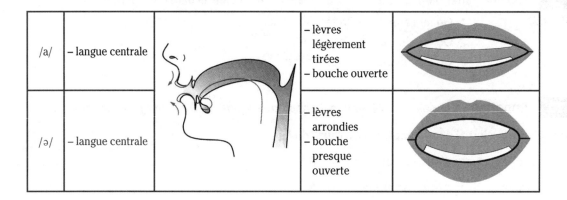

/a/	– langue centrale		– lèvres légèrement tirées – bouche ouverte
/ə/	– langue centrale		– lèvres arrondies – bouche presque ouverte

La voyelle postérieure /ɑ/ de « pâte » tend à disparaître et à être remplacée par la voyelle antérieure /a/ de « patte », éventuellement légèrement plus longue ; le /ɑ/ n'est donc pas étudié dans cet ouvrage.

Vous pouvez aussi étudier la prononciation du /a/ p. 40 (*les, la*).
Vous pouvez aussi étudier la prononciation du /ə/ p. 76 (*les, le*) et p. 80 (*j'ai, je*). Cette voyelle peut également ne pas être prononcée (chute du /ə/), voir p. 22.

 Le /ə/, normalement prononcé « ouvert » comme /œ/, peut se prononcer /ø/ « fermé » en syllabe accentuée (voir p. 72).

/a/ s'écrit le plus souvent :	– *a, à, â*	*chat là pâte*
	– *e* + *mm* dans les adverbes	*prudemment*
/wa/ s'écrit le plus souvent (voir p. 170) :	Cas particuliers : *e* + *mm* *e* + *nn*	*femme solennel*
	– *oi*	*noir*
/ə/ s'écrit le plus souvent :	– *e* dans les monosyllabes	*le*
	– *e* en fin de syllabe	*reprendre appartement*
	– *e* suivi de *ss*	*dessus*
	– *ai* dans certaines formes de faire	*faisait*
	– Cas particulier : *on*	*monsieur*

---

la - le /a/ - /ə/

EXERCICES ★

1 Répétez : féminin – masculin. Lèvres arrondies pour /ə/.

/a/ – /ə/
1. La pianiste – Le pianiste.
2. La flûtiste – Le flûtiste.
3. La bassiste – Le bassiste ;
4. La choriste – Le choriste.

2 Répétez le féminin puis remplacez-le par le masculin.

/a/ – /ə/ Exemple : Il la donne. – Il le donne. ....
1. Il la met. – ....
2. Il la prend. – ....
3. Il la pose. – ....

3 Eh bien, fais-la ! Exemple : A : Je n'ai pas écrit la lettre. B : Eh bien, écris-la !

Dites bien les intonations.

1. A : Je n'ai pas traduit la poésie.   B : ....
2. A : Je n'ai pas fini la lecture.   B : ....
3. A : Je n'ai pas fait la suite.   B : ....

4 D'accord ! Exemple : A : Tu goûtes l'abricot ? B : D'accord, j(e) le goûte.

Dites bien la séquence « j(e) le ».

1. A : Tu manges l'avocat ?   B : ....
2. A : Tu prépares l'ananas ?   B : ....
3. A : Tu coupes l'ail ?   B : ....

À vous !   **Lui, pas elle !**
Exemple : A : Tu connais le photographe ?   B : Le photographe, non, la photographe.
1. A : Tu connais le fleuriste ?   B : ....
2. A : Tu connais le dentiste ?   B : ....
3. A : Tu connais le cinéaste ?   B : ....
4. A : Tu connais le chorégraphe ?   B : ....

Lecture

Le soleil a rendez-vous avec la lune
Mais la lune n'est pas là et le soleil l'attend
La lune est là la lune est là
La lune est là mais le soleil ne la voit pas
Pour la trouver il faut la nuit
Il faut la nuit mais le soleil ne le sait pas et toujours luit ...
Charles Trenet (1913-2001), Le soleil et la lune (chanson).

la - le   /a/ - /ə/

E X E R C I C E S ★★

5   **Répétez. Dites bien l'enchaînement vocalique.**

/ə a/
1. Lave-le à la main !   3. Accroche-le à la fenêtre !
2. Mets-le à la porte !   4. Descends-le à la cave !

6   **Répétez. Dites bien le /ə/ de « le », puis la chute du /ə/ de « de ».**

/ə/ /d(ə)la/
1. Ils partent le soir, à la fin d(e) la soirée.
2. Ils partent le matin, à la fin de la matinée.
3. Ils partent de jour, à la fin de la journée.

7   **Où ? Là !** Exemple : *A : Je le laisse où, le panier ? B : Laisse-le là !*

Dites bien le /ə/ tonique.

1. A : Je le mets où, le carton ?   B : ....

2. A : Je le pose où, le sac ?   B : ....

3. A : Je le range où, le cartable ?   B : ....

4. A : Je le gare où, le chariot ?   B : ....

À vous !   **Jamais rien !**
Exemple : *A : Et lui, il n'a rien fait ?*   *B : Il ne fait jamais rien ...*
1. A : Il n'a rien dit ?   B : ....
2. A : Il n'a rien produit ?   B : ....
3. A : Il n'a rien choisi ?   B : ....
4. A : Il n'a rien fini ?   B : ....

8   **Complétez les phrases, dites la phrase et écoutez l'enregistrement.**

Exemple : *Ce géographe ne pratique plus la géographie.*

1. Ce linguiste ....

2. Ce comptable ....

3. Ce biologiste ....

4. Ce psychologue ....

5. Ce médecin ....

Lecture

La main de Michael Richardson va vers le corps de la femme, le caresse, et reste là, posée.

Marguerite Duras (1914 -1996), *India Song.*

La philosophie, ainsi que la médecine, a beaucoup de drogues, très peu de bons remèdes, presque point de spécifiques.

Nicolas de Chamfort (1740-1794), *Maximes et Pensées.*

EXERCICES ★★★

227 **9** Répétez le féminin puis remplacez-le par le masculin. Dites bien le /ə/ final du verbe et le /ə/ tonique au masculin.

/ə la/ – /ə lə/   Exemple : *Emporte-la ! – Emporte-le !*

1. Consulte-la ! – ....

2. Adopte-la ! – ....

3. Administre-la ! – ....

4. Rencontre-la ! – ....

228 **10** Répétez. Dites bien les enchaînements.

/ə / /lə/ /də la/   **1.** Le coq est le mâle de la poule.   **4.** Le bélier est le mâle de la brebis.

2. Le cheval est le mâle de la jument.   **5.** Le taureau est le mâle de la vache.

3. Le bouc est le mâle de la chèvre.

229 **11** **Il ne l'a pas fait.** Exemple : *A : Le client a signé le contrat ? B : Non, non, il ne l'a pas signé.*

Dites bien la réponse en style courant.

1. A : Il a demandé le catalogue ?   **B :** ....

2. A : Il a négocié le crédit ?   **B :** ....

3. A : Il a reporté le délai ?   **B :** ....

4. A : Il a payé le solde ?   **B :** ....

230 **À vous !**   **Absolument pas !**
Exemple : *A : Tu as des regrets ?*   *B : Absolument pas d(e) regrets !*

1. A : Tu as des remords ?   **B :** ....

2. A : Tu as des remarques ?   **B :** ....

3. A : Tu as des relations ?   **B :** ....

4. A : Tu as des recours ?   **B :** ....

5. A : Tu as des reçus ?   **B :** ....

6. A : Tu as des recettes ?   **B :** ....

Lecture

Voici la nudité, le reste est vêtement.
Voici le vêtement, tout le reste est parure.
Voici la pureté, tout le reste est souillure.
Voici la pauvreté, le reste est ornement.

Charles Péguy (1873-1914), *Présentation de la Beauce à Notre Dame de Chartres.*

Les voyelles nasales

■ **Les voyelles nasales** sont des sons pour lesquels l'air passe par la bouche et par le nez.

Peu de langues possèdent des voyelles nasales.

Les voyelles nasales du français sont tout à fait spécifiques.

Symbole phonétique	Exemple	Leçon
/œ̃/	brun	p. 98
/ɛ̃/	brin	p. 90, p. 102 et p. 110
/ɑ̃/	blanc	p. 92, p. 102, p. 106 et p. 110
/ɔ̃/	blond	p. 96, p. 106 et p. 110

■ **Une voyelle nasale** n'est jamais suivie d'une consonne nasale (voir p. 160) : devant une consonne nasale, la voyelle nasale devient orale (elle est « dénasalisée ») dans les cas suivants :

– féminin de certains noms ou adjectifs :

      féminin : comédienne   (masculin : comédien)
             /ɛ n/   /ɛ̃/

– pluriel et du subjonctif de certains verbes du 3e groupe :

      pluriel : *ils viennent*   (singulier : *il vient*)
           /ɛ n/   /ɛ̃/

      subjonctif : *qu'il vienne*   (indicatif : *il vient*)
           /ɛ n/   /ɛ̃/

– liaison de l'adjectif qualificatif antéposé :

      un bon ami
        /ɔ n/

■ **Exceptions à cette règle** (cas où la voyelle nasale est suivie d'une consonne nasale) :

– les mots précédés des préfixes *en-* et *em-*   *ennui*   *emmener*
                                    /ɑ̃ n/   /ɑ̃ m/

– les mots *immanquable,*   *immangeable*
           /ɛ̃ m/   /ɛ̃ m/

– les cas de liaison (sauf avec l'adjectif qualificatif) :

    Il en a   *On arrive*   *Mon ami*   *Un ami*
    /ɑ̃ n/   /ɔ̃ n/   /ɔ̃ n/   /œ̃ n/

Quelles sont vos difficultés ?

231

Test 1 p. 90 /ɛ/ - /ɛ̃/	**Répétez.** **1.** fait – faim **2.** paie – peint **3.** tait – teint **4.** lait – lin **Retrouvez : cochez le mot que vous entendez dans les phrases.**

	1. fait ❑	faim ❑	3. tait ❑	teint ❑
	2. paie ❑	peins ❑	4. lait ❑	lin ❑

232

Test 2 p. 92 /a/a/ɑ̃/	**Répétez.** **1.** gras – grand **2.** orage – orange **3.** Jeanne – Jean **4.** lace – lance **Retrouvez : cochez le mot que vous entendez dans les phrases.**

	1. gras ❑	grand ❑	3. Jeanne ❑	Jean ❑
	2. orage ❑	orange ❑	4. lace ❑	lance ❑

233

Test 3 p. 96 /o/ - /õ/	**Répétez.** **1.** beau – bon **2.** faut – font **3.** pot – pont **4.** taux – ton **Retrouvez : cochez le mot que vous entendez dans les phrases.**

	1. beau ❑	bon ❑	3. pot ❑	pont ❑
	2. faut ❑	font ❑	4. taux ❑	ton ❑

234

Test 4 p. 98 /yn/ - /œ̃/	**Répétez.** **1.** quelques-unes – quelques-uns **2.** une – un **3.** chacune – chacun **4.** aucune – aucun **Retrouvez : cochez le genre que vous entendez dans les phrases.**

	1. féminin ❑	masculin ❑	3. féminin ❑	masculin ❑
	2. féminin ❑	masculin ❑	4. féminin ❑	masculin ❑

235

Test 5 p. 102 /ɛ̃/ - /ɑ̃/	**Répétez.** **1.** vin – vent **2.** importer – emporter **3.** cinq – cent **4.** éteins – étends **Retrouvez : cochez le mot que vous entendez dans les phrases.**

	1. vin ❑	vent ❑	3. importez ❑	emportez ❑
	2. cinq ❑	cent ❑	4. éteins ❑	étends ❑

236

Test 6 p. 106 /õ/ - /ɑ̃/	**Répétez.** **1.** long – lent **2.** on porte – emporte **3.** sont – sent **4.** trompe – trempe **Retrouvez : cochez le mot que vous entendez dans les phrases.**

	1. long ❑	lent ❑	3. ils sont ❑	il sent ❑
	2. on porte ❑	emporte ❑	4. trompe ❑	trempe ❑

237

Test 7 p. 110 /ɛ̃/ - /ɑ̃/ - /õ/	**Répétez.** **1.** peindre – pendre – pondre **2.** thym – temps – thon **3.** cinq – cent – son **Retrouvez : cochez le mot que vous entendez dans les phrases.**

	1. peindre ❑	pendre ❑	pondre ❑
	2. thym ❑	temps ❑	thon ❑
	3. cinq ❑	cent ❑	son ❑

lait - lin

$/\varepsilon/ - /\tilde{\varepsilon}/$

Un ri**en** me f**ai**t chanter
Un ri**en** me f**ai**t danser
Un ri**en** me f**ai**t trouver b**e**lle la vie
Un ri**en** me f**ai**t pl**ai**sir.

Charles Trenet (1913-2001), Un rien me fait chanter (chanson).

$/\varepsilon/$	– l'air passe par la bouche – langue en avant		– bouche presque ouverte – lèvres tirées	
$/\tilde{\varepsilon}/$	– l'air passe par la bouche et par le nez		– bouche presque fermée	

Vous pouvez aussi étudier la prononciation du $/\varepsilon/$ p. 34 (*il, elle*) et p. 36 (*parlait, parlé*).
Vous pouvez aussi étudier la prononciation du $/\tilde{\varepsilon}/$ p. 102 (*cinq, cent*) et p. 110 (*frein, franc, front*).

$/\varepsilon/$ s'écrit le plus souvent :	– *è* *ê* – *ei, ai, e* suivis d'une consonne prononcée dans la même syllabe orale – *e* + double consonne dans les monosyllabes – *ai* + « *s, t, e* » non prononcés en fin de mot	*père* *être* *seize* *faire* *mettre* *elle* *mais, fait, craie*
$/\tilde{\varepsilon}/$ s'écrit le plus souvent :	– *in* *im* [1] – *yn* *ym* [1] – *ein* *eim* [1] – *ain* *aim* [1] – *(i)en* *(y)en* *(é)en* Cas particuliers : *-en* – *un* (en région parisienne)	*vin* *timbre* *syndicat* *sympathie* *plein* *Reims* *main* *faim* *mien* *moyen* *européen* *examen* *lundi*

[1] Le « *m* » se trouve devant les lettres « *p, b, m* » et parfois en fin de mot.

EXERCICES

1   **Répétez.**

/ɛ/ /ɛ/ /ɛ̃/   **1.** C'est très **sim**ple.

2. C'est très **min**ce.

3. C'est très **plein**.

4. C'est très **loin**.

2   **C'est impossible.** Exemple : *A : Tu viens demain ? B : De̲main, c'es(t) impossible.*

Répondez en style familier.

1. A : Tu viens après-demain ?   **B :** ....

2. A : Tu viens le mois prochain ?   **B :** ....

3. A : Tu viens au mois de juin ?   **B :** ....

4. A : Tu viens lundi ?   **B :** ....

3   **Répétez. Dites bien les nombres dont la prononciation change.**

1. Il mettait cin**q** heures. – Il mettait cin(q) minutes. – Il en mettait cin**q**.

2. Il mettait ving**t** heures. – Il mettait ving(t) minutes. – Il en mettait ving(t).

4   **Lisez les opérations suivantes et dites leur résultat.**

1. 5 + 15 = ...

2. 20 + 5 = ...

3. 20 – 5 = ...

4. 20 – 15 = ...

5. 5 x 5 = ...

6. 25 / 5 = ...

5   **Répétez. Dites bien la liaison, puis l'enchaînement vocalique entre le nom et l'adjectif.**

/ɛ/   /ɛ̃ ɛ̃/   **1.** C'est un citoye(n) indigné !

2. C'est un politicien indépendant.

3. C'est un voisin indélicat.

4. C'est un riverain indifférent.

À vous !   **C'est vrai !**

Exemple : *A : Ça, je ne le crois pas.*   *B : C'est vrai, c'est incroyable...*

1. A : Ça, je ne le supporte pas.   **B :** ....

2. A : Ça, je ne le discute pas.   **B :** ....

3. A : Ça, je ne le trouve pas.   **B :** ....

4. A : Ça, je ne le bois pas.   **B :** ....

Lecture

L'allée est sans fin / Sous le̲ ciel, divin / D'être̲ pâle ainsi !

Paul Verlaine (1844-1896), *Simples fresques II, Romances sans paroles.*

La nuit va et le̲ jour vient / Dans le̲ ciel clair et se̲rein /
Et l'aube̲ ne̲ se̲ re̲tient / Et s'en vient belle et parfaite.

Folquet de Marseille (? -1231), troubadour.

Ah ! Chloé, je̲ vois trop ce̲ que̲ je̲ de̲vais craindre, / Un faux espoir est ve̲nu m'animer /
J'ai cru qu'en vous peignant je̲ peindrais l'art d'aimer : / C'est l'art de̲ plaire̲ qu'il faut peindre.

Charles-Pierre Colardeau (1732-1776), *Le Portrait manqué.*

plat - plan

$/a/ - /\tilde{a}/$

Les **a**rbres p**a**rlent **a**rbre
comme les **enfan**ts p**a**rlent **enfan**t.

Jacques Prévert (1900-1977), Arbres.

/a/	–l'air passe par la bouche – langue centrale	– lèvres légèrement tirées – bouche ouverte	
/ɑ̃/	– l'air passe par la bouche et par le nez – langue un peu en arrière	– lèvres légèrement arrondies – bouche bien ouverte	

La voyelle postérieure /ɑ/ de « pâte » tend à disparaître et à être remplacée par la voyelle antérieure /a/ de « patte », éventuellement légèrement plus longue ; le /ɑ/ postérieur n'est donc pas étudié dans cet ouvrage.

Vous pouvez aussi étudier la prononciation du /a/ p. 40 (*les, la*) et p. 84 (*la, le*)
Vous pouvez aussi étudier la prononciation du /ɑ̃/ p. 102 (*cinq, cent*), p. 106 (*long, lent*) et p. 110 (*frein, franc, front*)

/a/ s'écrit le plus souvent :	– *a, à, â* – *e + mm* - dans les adverbes	*chat là pâte* *prudemment*
/wa/ s'écrit le plus souvent (voir p. 170) :	Cas particuliers *e + mm* *e + nn* – *oi*	*femme solennel* *noir*
/ɑ̃/ s'écrit le plus souvent :	– *en em* [1] – *an am* [1] – *aen aon* – *(i)en(t)* dans les noms et adjectifs	*vent membre* *sans chambre* *Caen Laon* *client patient*

[1] Le « *m* » se trouve devant les lettres « *p, b, m* » et parfois en fin de mot.

E X E R C I C E S ★

244 · 1 Répétez, puis changez le déterminant.

/a/ /ã/ /a/ /ã/   *Exemple : Va dans la chambre !*

1. … sa ....
2. … ta ....
3. … ma ....

245 · 2 Répétez. Dites bien l'enchaînement consonantique.

/a/ /ã/ |d a/   **1.** La gran|d(e) armoire.   **3.** La grande avenue.
                2. La Grande Armée.   **4.** La grande aventure.

246 · 3 **Pas du tout !** Exemple : A : *T(u) es en retard !* B : *J(e) (ne) suis pa(s) en r(e)tard du tout !*

Dites bien la réponse en style familier.

1. A : Tu es en avance …   **B :** ....
2. A : Tu es en panne ?   **B :** ....
3. A : Tu es embarrassé ?   **B :** ....

247 · 4 ***Si t'as envie…** Exemple : A : *Je prends ta voiture ?* B : **Si t(u) as envie, prends-la !*

Dites bien la réponse en style familier.

1. A : Je range ta raquette?   **B :** ....
2. A : Je lance la balle ?   **B :** ....
3. A : Je mange ta part ?   **B :** ....
4. A : Je change ta place ?   **B :** ....

248 · À vous !   Où est ta maison ?
Exemple : A : *Ta maison est près de la poste ?*   B : *Elle est avant la poste.*
1. A : Elle est près de la gare ?   **B :** ....
2. A : Elle est près de la mairie ?   **B :** ....
3. A : Elle est près de la chapelle ? **B :** ....
4. A : Elle est près de la grand'place ? **B :** ....

Lecture

Le petit cheval dans le mauvais temps,
qu'il avait donc du courage !
C'était un petit cheval blanc,
tous derrière et lui devant.

Paul Fort (1872-1960), « Le petit cheval blanc » (chanté par Georges Brassens).

E X E R C I C E S ★★

(249) **5** **Répétez.**

/a/ – /ɑ̃/

1. Il **a** construit. – Il **en** construit.
2. Il a bâti. – Il en bâtit.
3. Il a démoli. – Il en démolit.
4. Il a détruit. – Il en détruit.

(250) **6** **Répétez. Dites bien les enchaînements vocaliques.**

/ɑ̃ a a/

1. Jea(n) a appelé.
2. Nathan a accepté.
3. Vincent a arrêté.
4. Clément a abandonné.

(251)

À vous !   On ne va pas le garder...

Exemple : A : Le serveur a cassé des verres !   B : Il en /n/ a encore cassé ?

1. **A :** Il a brûlé des toasts.   **B :** ....
2. **A :** Il a renversé des bouteilles.   **B :** ....
3. **A :** Il a brisé des assiettes.   **B :** ....
4. **A :** Il a abîmé des nappes.   **B :** ....
5. **A :** Il a taché des serviettes.   **B :** ....
6. **A :** Il a même injurié des clients !   **B :** ....

(252) **7** **C'est *embêtant !**

Exemple : A : Ah, c'est embêtant, cette histoire ! B : *Embêtant, pas tant qu(e) ça !

Faites bien la chute du /ə/.

1. **A :** C'est embarrassant !   **B :** ....
2. **A :** C'est *empoisonnant !   **B :** ....
3. **A :** C'est enthousiasmant !   **B :** ....
4. **A :** C'est encourageant !   **B :** ....

▬▬▬ **Écriture :** Continuez cette histoire, racontée par une chanson populaire. Chaque ligne doit se terminer par la voyelle /ɑ̃/ (rime).

Mon père m'a donné un étang

Il n'est pas large comme il est grand

Trois beaux canards s'en vont nageant

....

....

....

▬▬▬ **Lecture**

Lisez l'histoire que vous avez écrite.

253 **8** **Répétez. Dites bien les enchaînements vocaliques.**

/ã̂ a/ **1.** Quan(d) avez-vou(s) applaudi ? **3.** Quand avez-vous allumé ?

2. Quand avez-vous abouti ? **4.** Quand avez-vous annulé ?

254 **9** **Répétez. Dites bien la continuité.**

/ã̂/z/ã̂ ã̂/n/a **1.** Prends/z/-e(n) en/n/attendant ! **3.** Prends-en en entrant !

2. Prends-en en arrivant ! **4.** Prends-en en embarquant !

255 **10** **Comment ?** *Exemple : A : J'ai eu deux places pour le concert. B : Commen(t) en/n/avez-vou(s) eu ?*

Dites bien la continuité.

1. A : J'ai trouvé deux entrées pour l'exposition. **B :** ....

2. A : J'ai obtenu deux billets pour le salon. **B :** ....

3. A : J'ai reçu deux invitations pour la soirée. **B :** ....

4. A : J'ai pris deux programmes de concerts. **B :** ....

256 **À vous !** **C'est vrai...**

Exemple : A : J'ai répondu avec patience. *B : Ça c'est vrai. *T(u) as répondu patiemment.*

1. A : J'ai répondu avec prudence. **B :** ....

2. A : J'ai répondu avec insolence. **B :** ....

3. A : J'ai répondu avec intelligence. **B :** ....

4. A : J'ai répondu avec innocence. **B :** ....

Lecture

Tu t'en vas sans moi, ma vie.
Tu roules,
Et moi j'attends encore de faire un pas.
Henri Michaux (1899-1984), *Ma vie.*

Ils m'ont jugé à pendre
Ah ! C'est dur à entendre !
À pendre et étrangler
Sur la place du marché.
Complainte de Mandrin, chanson populaire (xviiie siècle).

beau - bon

$/o/ - /\tilde{o}/$

Le temps **aux** plus belles ch**o**ses
Se plaît à faire un affr**on**t
Et saura faner vos r**o**ses
Comme il a ridé m**on** fr**on**t.

Pierre Corneille (1606-1684), *Stances* (chanté par Georges Brassens).

/o/	– l'air passe par la bouche – langue arrière		– lèvres très arrondies – bouche presque fermée	
/õ/	– l'air passe par la bouche et par le nez			

Vous pouvez aussi étudier la prononciation du /o/ p. 42 (*notre, nôtre*), p. 46 (*faux, fou*) et p. 64 (*chevaux, cheveux*).
Vous pouvez aussi étudier la prononciation du /õ/ p. 106 (*long, lent*) et p. 110 (*frein, franc, front*).

/o/ s'écrit le plus souvent :	– *eau* – *au* – *o* en fin de mot – *o* suivi d'une consonne non prononcée – *o* +/*z*/ – *ô*	*beau, Beauce* *matériau, haut, haute* *do* *dos* *rose* *côte*
/õ/ s'écrit le plus souvent :	– *on* *om* [1]	*mon ombre nom*

[1] Le « *m* » se trouve devant les lettres « *p, b, m* » et parfois en fin de mot.

EXERCICES

1   **Répétez.**

/õ/ /o/   **1.** Ils s**on**t b**eau**x.

2. Ils sont chauds.

3. Ils sont gros.

4. Ils sont faux.

À vous !   **Allons-y !**

Exemple : *A : Viens au cinéma.*   *B : D'accord, allon(s) au cinéma !*

1. A : Viens au théâtre.   **B :** ....

2. A : Viens au cirque.   **B :** ....

3. A : Viens au restaurant.   **B :** ....

4. A : Viens au musée.   **B :** ....

---

2   **Non, non !** Exemple : *A : Vous avez trouvé votre train ? B : Non, *(il) faut qu'on l(e) trouve.*

Faites bien la chute du /ə/.

1. A : Vous avez demandé le contrôleur ?   **B :** ....

2. A : Vous avez composté votre billet ?   **B :** ....

3. A : Vous avez payé votre café ?   **B :** ....

---

3   **Répétez. Dites bien les enchaînements.**

/õ/ /of o õ/   **1.** C'est b**on**, s**auf au on**ziè|**me** étage.

2. C'est bon, sauf à onze heures.

3. C'est bon, sauf le onze octobre.

4. C'est bon, sauf dans le onzième arrondissement.

---

4   **Sinon…** Exemple : *A : On a appelé le spécialiste. B : Ah bon ! Sino(n) on l'aurait appelé nous-mêmes.*

Dites bien l'enchaînement vocalique.

1. A : On a informé le président.   **B :** ....

2. A : On a excusé le visiteur.   **B :** ....

3. A : On a averti le directeur.   **B :** ....

4. A : On a emmené le propriétaire.   **B :** ....

Lecture

Nos émotions sont dans nos mots comme des oiseaux empaillés.

Henry de Montherlant (1896-1972).

Les sanglots longs / Des violons /De l'automne / Blessent mon cœur / D'une langueur / Monotone.

Paul Verlaine (1844-1896).

Au nord, c'était les corons / La terre c'était le charbon / Le ciel c'était l'horizon / Les hommes des mineurs de fond.

Pierre Bachelet (1944-), « Les corons ».

27 une - un /yn/ - /œ̃/

... Chac**un** sa chac**une**,
L'**une** et l'**un** font deux.
Francis Carco (1886-1958), « Le doux caboulot ».

| /y/ | – langue très avant
– l'air passe par la bouche | | – lèvres très arrondies
– bouche très fermée | |
| /œ̃/ | – langue en avant
– l'air passe par la bouche et par le nez | | – lèvres arrondies
– bouche presque ouverte | |

Vous pouvez aussi étudier la prononciation du /y/ p. 52 (*vie, vue*), p. 56 (*roue, rue*), p. 60 (*du, deux*), p. 98 (*un, une*) et p. 170 (*Louis, lui*).

⚠ Le « un », normalement prononcé /œ̃/ peut se prononcer comme le /ɛ̃/, en particulier dans la région parisienne. Dans ce cas, on le transcrit /Ẽ/.

Vous pouvez aussi étudier la prononciation du /ɛ̃/ p. 90 (*lait, lin*), p. 102 (*cinq, cent*) et p. 110 (*frein, franc, front*).

| /y/ s'écrit le plus souvent : | – *u* *û*
– *eu* *eû* (conjugaison de *avoir*)
– *uë* | *perdu* *dû*
j'ai eu *nous eûmes*
aiguë |
| /œ̃/ s'écrit le plus souvent : | – *un* *um* [1] | *brun* *parfum* |

[1] Le « m » se trouve devant les lettres « p, b, m » et parfois en fin de mot.

E X E R C I C E S ★

262 **1** **Répétez : féminin – masculin. Lèvres en avant pour /y/.**

/yn/ – /œ̃/   **1. Une** fille. – **Un** garçon.   **4.** Une compagne. – Un compagnon.

2. Une jeune femme. – Un jeune homme.   **5.** Une copine. – Un copain.

3. Une dame. – Un monsieur.

263 **2** **Répétez l'exemple, puis transformez au féminin.**

/œ̃n/ – /yn/   Exemple : *C'est un /n/ acteur. – C'est u**n(e) a**ctrice.*

1. C'est un auditeur. – ....

2. C'est un électeur. – ....

3. C'est un agriculteur. – ....

264 **3** **Oui, un.** Exemple : *A : Tu as bu un verre ? B : J'en /n/ ai bu un.*

Dites bien la continuité.

1. A : Tu as vu un hôtel ?   **B :** ....

2. A : Tu as perdu un billet ?   **B :** ....

3. A : Tu as reçu un paquet ?   **B :** ....

4. A : Tu as retenu un taxi ?   **B :** ....

265 **4** **Quelqu'un l'utilise ?** Exemple : *A : Mon téléphone est occupé. B : Quelqu'u(n) utilise ton téléphone ?*

Dites bien l'enchaînement vocalique.

1. A : Mon fax est occupé.   **B :** ....

2. A : Ma ligne est occupée.   **B :** ....

3. A : Mon bureau est occupé.   **B :** ....

266 **À vous !**   **J'en voudrais bien.**

Exemple : *A : Tu veux une brioche ?*   *B : J'en voudrais bie(n) une.*

1. A : Tu mangerais une glace ?   **B :** ....

2. A : Tu choisirais une pâtisserie ?   **B :** ....

3. A : Tu commanderais une tarte ?   **B :** ....

4. A : Tu boirais une bière ?   **B :** ....

Lecture

Un arrondissement c'est immense. On risque de s'y perdre. C'est une ville en miniature dans la grande.

Henri Calet (1904-1956), *Le tout sur le tout.*

une - un /yn/ - /œ̃/

EXERCICES ★★

267 | **5** **Répétez le masculin, puis transformez au féminin.**

/œ̃ a/ – /y |n/   Exemple : *Quelques-u(ns) avaient réservé. – Quelques-u|n(es) avaient réservé.*

1. Quelques-u(ns) écoutaient. – ....

2. Quelques-uns appréciaient. – ....

3. Quelques-uns applaudissaient. – ....

268 | **6** **Répétez. Dites bien la continuité.**

/õ ã n a/ /œ̃ œ̃/ **1.** On /n/ en /n/ a chacu(n) un.   **3.** On en a chacune un.

2. On en a chacun une.   **4.** On en a chacune une.

269 | **7** **L'un de nous.** Exemple : *A : Vous avez coupé le gaz ? B : L'un d(e) nous l'a coupé.*

Faites bien la chute du /ə/.

1. A : Vous avez fermé la porte ?   **B :** ....

2. A : Vous avez rentré la poubelle ?   **B :** ....

3. A : Vous avez attaché le chien ?   **B :** ....

4. A : Vous avez arrosé le jardin ?   **B :** ....

270 | **8** ***(Il n')y en n'a qu'un.** Exemple : *A : Tous achètent la presse ? B : *(Il n')y en (n')a qu'un qui l'achète.*

Dites bien la réponse en style familier.

1. A : Tous enregistrent l'émission ?   **B :** ....

2. A : Tous écoutent la radio ?   **B :** ....

3. A : Tous utilisent Internet ?   **B :** ....

271

À vous ! **Un à chacune.**

Exemple : *A : Je distribue un programme à chacune ? B : Oui, à chacun(e) un programme.*

1. A : Je donne un poster ?   **B :** ....

2. A : J'envoie un carton ?   **B :** ....

3. A : J'expédie un catalogue ?   **B :** ....

Lecture

Ni vu ni connu   Vivant et défunt
Je suis l<u>e</u> parfum   Dans l<u>e</u> vent venu !

Paul Valéry (1871-1946), *Le Sylphe.*

Je pense que je ne saurais pas dire la différence entre un hermaphrodite et une hermaphrodite.

Hervé Le Tellier (1947-), *Mille pensées (premiers cents).*

272 **9** Répétez : féminin – masculin.

/y/ /y/ – /œ̃/ /œ̃/   **1.** **U**ne belle brune. – **Un** beau br**un**.

2. Une idée commune. – Un propos commun.

3. La minute opportune. – Le moment opportun.

4. À l**a** une du journal. – À l'act**e** °un.

273 **10** Répétez le masculin puis transformez au féminin.

/œ̃ n(ə)/ – /yn nə/   Exemple : *Aucun n(e) voudra.* – *Aucun(e) ne voudra.*

1. Aucun ne saura. – ....

2. Aucun ne pourra. – ....

3. Aucun ne verra. – ....

274 **11**   **On te l'a dit ?** Exemple : *A : On t'a dit qu'Emma avait du *boulot ? B : Un copain m(e) l'a dit.*

Faites bien la chute du /ə/.

1. A : On t'a signalé qu'elle s'expatriait ?   **B :** ....

2. A : On t'a révélé qu'elle se mariait ?   **B :** ....

3. A : On t'a fait savoir qu'elle avait eu un bébé ?   **B :** ....

4. A : On t'a annoncé qu'elle revenait en France ?   **B :** ....

275   **À vous !**   **Chacun une.**

Exemple : *A : Vous avez obtenu une prime ?*   *B : Chacu(n) en /n/ a obtenu une.*

1. A : Vous avez exigé une compensation ?   **B :** ....

2. A : Vous avez imposé une date ?   **B :** ....

3. A : Vous avez indiqué une orientation ?   **B :** ....

4. A : Vous avez accepté une entrevue ?   **B :** ....

Lecture

Je pense à ces compositions de carrés et de rectangles dont le prétexte est un clavecin ouvert, un peintre à l'œuvre devant son chevalet, une carte géographique au mur, une fenêtre entrebâillée, l'angle d'un meuble ou d'un plafond formé par la rencontre de trois surfaces...

Paul Claudel (1868-1955), *Introduction à la peinture hollandaise.*

C'est à cause du clair de la lune

Que j'assume ce masque nocturne

Et de Saturne penchant son urne

Et de ces lunes l'une après l'une.

IAM, *À la manière de Paul Verlaine* (chanson rap).

28 cinq - cent /ɛ̃/ - /ɑ̃/

Qu'**im**porte le t**em**ps
Qu'**em**porte le v**en**t
Mieux vaut ton abs**en**ce
Que ton **in**conséqu**en**ce.

Serge Gainsbourg (1928-1991), « Indifférente » (chanson).

/ɛ̃/	– langue en avant – l'air passe par la bouche	– lèvres très tirées – bouche presque fermée	
/ɑ̃/	– langue un peu en arrière – l'air passe par la bouche et par le nez	– lèvres légèrement arrondies – bouche bien ouverte	

Vous pouvez aussi étudier la prononciation du /ɛ̃/ p. 90 (*lait, lin*) et p. 110 (*frein, franc, front*).
Vous pouvez aussi étudier la prononciation du /ɑ̃/ p. 92 (*plat, plan*), p. 106 (*long, lent*) et p. 110 (*frein, franc, front*).

/ɛ̃/ s'écrit le plus souvent :	– *in* *im* [1]	*vin* *timbre*
	– *yn* *ym* [1]	*syndicat* *sympathie*
	– *ein* *eim*	*plein* *Reims*
	– *ain* *aim* [1]	*main* *faim*
	– *(i)en* *(y)en* *(é)en*	*mien* *moyen* *européen*
	– Cas particuliers : - *en*	*examen*
	– *un* (en région parisienne)	*lundi*
/ɑ̃/ s'écrit le plus souvent :	– *en* *em* [2]	*vent* *membre*
	– *an* *am* [2]	*sans* *chambre*
	– *aen* *aon*	*Caen* *Laon*
	– *(i)en(t)* dans les noms et adjectifs	*client* *patient*

[1] Le « *m* » se trouve devant les lettres « *p, b, m* » et parfois en fin de mot.
[2] Le « *m* » se trouve devant les lettres « *p, b, m* ».

102 • cent deux

E X E R C I C E S ★

(276) **1** **Répétez. Bouche presque fermée pour /ɛ̃/, bien ouverte pour /ã/.**

/ɛ̃/ /ã/   **1.** cin**q**. – quinze. – ving(t). – vingt-cin**q**.

/ɛ̃/ /ã/   **2.** trente. – quarante. – soixante. – cent.

   3. cin(q) mille – cent mille.

(277) **2** **Répétez. Bouche bien ouverte pour /ã/.**

/ɛ̃/ /ã/   **1.** Il est **im**patient.   **3.** Il est imprudent.

   2. Il est important.   **4.** Il est inquiétant.

(278) **3** **Tu reviens quand ?** Exemple : *A : Tu reviens en septembre ? B : Pa(s) avant l(e) ving(t) septembre.*

Changez le mois de l'année.

1. novembre   ....

2. décembre   ....

3. janvier   ....

4. juin   ....

(279) **4** **Vraiment !** Exemple : *A : C'était intéressant ? B : Vraimen(t) intéressant !*

Dites bien l'enchaînement vocalique.

1. A : C'était impressionnant ?   **B :** ....

2. A : C'était intimidant ?   **B :** ....

3. A : C'était insuffisant ?   **B :** ....

4. A : C'était indifférent ?   **B :** ....

(280) **À vous !**   **Ouais, ma petite sœur …**

Exemple : *A : Ta petite sœur est grande …*   *B : *Ouais… Elle devient grande.*

1. A : Elle est *embêtante...   **B :** ....

2. A : Elle est charmante...   **B :** ....

3. A : Elle est fatigante...   **B :** ....

4. A : Elle est *marrante ...   **B :** ....

Lecture

L'appétit vient en mangeant.   Proverbe.

Nous partîmes cinq cents ; mais par un prompt renfort
Nous nous vîmes trois mille en arrivant au port,
      Pierre Corneille (1606-1684), *Le Cid (Acte IV, scène 3).*

EXERCICES ★★

 5 **Répétez. Bouche presque fermée pour /ɛ̃/, bien ouverte pour /ɑ̃/.**

/ɛ̃/ /ɑ̃/
  1. Il y a vingt ans.
  2. Il y a vingt-cinq ans.

  3. Il y a cinquante ans.
  4. Il y a cinquante-cinq ans.
  5. Il y a cin(q) cent cinquante cinq ans.

 6 **Répétez. Dites bien l'enchaînement vocalique.**

/ɛ̃ ɑ̃/
  1. Sers le raisi(n) en grappes.
  2. Apporte le vin en bouteille.

  3. Coupe le pain en tranches.
  4. Ajoute du thym en branche.

 7 **Vincent.** Exemple : *A : Tu vas informer qui ? B : Je pen|s(e) in|former Vincent.*

Dites bien l'enchaînement consonantique.

1. A : Tu vas interroger qui ?   **B :** ....

2. A : Tu vas inviter qui ?   **B :** ....

4. A : Tu vas interviewer qui ?   **B :** ....

3. A : Tu vas installer qui ?   **B :** ....

 8 **Je veux bien.** Exemple : *A : Tu veux t'acheter des fruits ? B : J(e) veux bien m'en/n/ acheter.*

Dites bien la liaison obligatoire.

1. A : Tu veux t'occuper des enfants ?   **B :** ....

2. A : Tu veux t'assurer de son arrivée ?   **B :** ....

3. A : Tu veux t'expliquer de ton oubli ?   **B :** ....

4. A : Tu veux t'excuser de ton retard ?   **B :** ....

 À vous !   **Sandrine t'attend.**

Exemple : *A : Sandrine t'attend maintenant.*   *B : Vraiment ? Maintenant ?*
1. A : Elle t'attend dans un instant.   **B :** ....
2. A : Elle t'attend en juin.   **B :** ....
3. A : Elle t'attend au printemps.   **B :** ....

▆▆▆ Lecture

Je pense qu'en 1514, personne n'aurait pu imaginer 1515 Marignan.

            Hervé Le Tellier (1947-), *Mille pensées (premiers cents).*

    Prononciation des dates : prononcez « quinze cent quatorze » et « quinze cent quinze ».

Banlieusards coulant
du train, un flot dense.
À contre-courant, il faut se cramponner.

            Michelle Grangaud (1941-), *Geste.*

EXERCICES ★★★

286 **9** **Répétez. Dites bien la continuité.**

1. Elle va à Péki(n) e(t) en /n/ Irlande.

2. Elle va à Dublin et en Islande.

3. Elle va à Berlin et en Iran.

287 **10** **Projet de film.** Exemple : *A : Je commence un projet ? B : Oh oui, commences/z/-e(n) un !*

Dites bien la continuité.

1. A : Je commande un écran ?   **B :** ....

2. A : Je demande un projecteur ?   **B :** ....

3. A : Je branche un haut-parleur ?   **B :** ....

4. A : Je change un spot ?   **B :** ....

5. A : Je lance un film ?   **B :** ....

288 **À vous !** **Impensable !**

Exemple : *A : Cet artiste, tu pourrais l'imiter ?   B : Impensable ! Il est inimitable !*

1. A : Cet athlète, tu pourrais l'égaler ?   **B :** ....

2. A : Ce ministre, tu pourrais l'attaquer ?   **B :** ....

3. A : Cet homme, tu pourrais l'oublier ?   **B :** ....

4. A : Ce paysage, tu pourrais l'imaginer ?   **B :** ....

5. A : Cet exercice, tu pourrais l'expliquer?   **B :** ....

289 **Écriture :** **Trouvez l'adverbe correspondant à l'adjectif, dites les deux mots, puis écoutez l'enregistrement.**

Exemple : *prochain : prochain(e)ment*

1. ancien : ....   **4.** souverain :.............................   **7.** vain : ....

2. humain : ....   **5.** soudain :.............................   **8.** plein : ....

3. certain : ....   **6.** sain : ....   **9.** serein : ....

Lecture

Je chante, aux bords de Cythère
Les seuls volages amants,
Et viens, plein de confiance
Annoncer la vérité
Des charmes de l'inconstance
Et de l'infidélité.

Guillaume de Chaulieu (1639-1720), *Apologie de l'inconstance en 1700.*

long - lent

$/\tilde{o}/ - /\tilde{a}/$

À partir d'Irkoutsk le voyage devint beaucoup trop **lent** beaucoup trop **long**.

Blaise Cendrars (1887-1961), *Prose du transsibérien
et de la petite Jehanne de France.*

$/\tilde{o}/$	– langue en arrière – l'air passe par la bouche et par le nez		– lèvres très arrondies – bouche presque fermée	
$/\tilde{a}/$	– langue un peu en arrière – l'air passe par la bouche et par le nez		– lèvres légèrement arrondies – bouche bien ouverte	

Vous pouvez aussi étudier la prononciation du $/\tilde{o}/$ p. 96 (*beau, bon*) et p. 110 (*frein, franc, front*).

Vous pouvez aussi étudier la prononciation du $/\tilde{a}/$ p. 92 (*plat, plan*), p. 102 (*cinq, cent*) et p. 110 (*frein, franc, front*).

$/\tilde{o}/$ s'écrit le plus souvent :	– *on* *om* [1]	*mon* *ombre* *nom*
$/\tilde{a}/$ s'écrit le plus souvent :	– *en* *em* [2]	*vent* *membre*
	– *an* *am* [2]	*sans* *chambre*
	– *aen* *aon*	*Caen* *Laon*
	– *(i)en(t)* dans les noms et adjectifs	*client* *patient*

[1] Le « *m* » se trouve devant les lettres « *p, b, m* » et parfois en fin de mot.
[2] Le « *m* » se trouve devant les lettres « *p, b, m* ».

EXERCICES ★

(290) 1 Répétez. Bouche fermée pour /õ/, bien ouverte pour /ã/.

/õ/ /ã/   **1. On** mange.   **3.** On range.

        2. On danse.   **4.** On pense.

(291) 2 Répétez. Dites bien la liaison obligatoire.

/ã/t/õ/ /õ/   **1.** Quand /t/ **on** veut, **on** peut !   **3.** Quand on sait, on répond !

           2. Quand on le dit, on le fait !   **4.** Quand on n'a rien à dire, on se tait !

(292) 3 Vous rentrez quand ? Exemple : *On pense rentrer dans trente jours.*

Répétez, puis changez le complément.

1. .... dans quarante jours.

2. .... dans cent jours.

3. .... dan(s) °onze jours.

4. .... dans cen(t) °onze jours.

(293) À vous ! Qui est-ce ?
Exemple : *A : C'est ton frère ?   B : C'est mon grand frère.*
1. A : C'est ton neveu ?   **B :** ....
2. A : C'est ton cousin ?   **B :** ....
3. A : C'est ton père ?   **B :** ....
4. A : C'est ton oncle ?   **B :** ....

(294) 4 Ah bon ? Exemple : *A : Ses parents habitent en Angleterre. B : Ah, bon ? En Angleterre?*

Dites bien les deux intonations interrogatives.

1. A : Ils ont vécu en Angola.   **B :** ....

2. A : Ils sont envoyés en Iran.   **B :** ....

3. A : Ils ont une maison en °Hollande. **B :** ....

4. A : Ils se reposent en °Hongrie.   **B :** ....

Lecture

Quand on est mort, c'est pour longtemps.
Proverbe.

long - lent /õ/ - /ã/

E X E R C I C E S ★★

 5 **Répétez. Dites bien la liaison obligatoire.**

/õt ã/ /õₙ ã/   **1.** Ça fait lo**ngtemps** qu'**on** /n/ **en** pren**d** !   **3.** Ça fait longtemps qu'on en manque !

2. Ça fait longtemps qu'on en vend !   **4.** Ça fait longtemps qu'on en tente !

 6 **On en a – On n'en a pas.** Exemple : *A : Chez vous, on cultive du blé ? B : On /n/ en cultive.*
On n'en cultive pas.

Répondez positivement puis négativement. /õ‿ₙ ã/ = /õnã/

1. A : On produit du vin ?   **B** : ....

2. A : On fabrique des voitures ?   **B** : ....

3. A : On construit des avions ?   **B** : ....

4. A : On dessine des vêtements ?   **B** : ....

5. A : On publie des livres ?   **B** : ....

 7 **Répétez. Dites bien la phrase en style courant.**

/ã/ /õ ãₙ/   **1.** Nous **en** plant(e)ro**n(s) en** /n/ hiver.   **3.** Nous en couperons en été.

2. Nous en taillerons en avril.   **4.** Nous en cueillerons en automne.

 À vous ! **Quand on pourra.**

Exemple : *A : Vous irez à Paris bientôt ?*   *B : On /n/ ira quand /t/ on pourra.*

1. A : Vous voyagerez de nuit ?   **B** : ....

2. A : Vous partirez avant Noël ?   **B** : ....

3. A : Vous reviendrez après les fêtes ?   **B** : ....

4. A : Vous repartirez l'année prochaine ?   **B** : ....

Lecture

Vos bouch<u>es</u> mentent !
Vos mensong<u>es</u> sent<u>ent</u> la menthe,
Amantes !

Robert Desnos (1900-1945), *Corps et Biens.*

L'auteur dans son œuvre doit être comme Dieu dans l'univers, présent partout et visible nulle part [...]. Comment tout cela s'est-il fait ? doit-on dire, et qu'on se sente écrasé sans savoir pourquoi...

Gustave Flaubert, *Lettre à Louise Colet, 9-12-1852.*

8   **Répétez.**

/õ ã/ /õ_nã_n/

1. Selo(n) Angèle, on /n/ en /n/ a plein.
2. Selon Ambre, on en aura beaucoup.
3. Selon Antoine, on en avait assez.
4. Selon Angélique, on en aurait trop.

9   **Répétez. Dites bien l'enchaînement vocalique.**

/ã õ/

1. Quan(d) ont- /t/ ils choisi ?
2. Quan(d) ont-ils débuté ?
3. Commen(t) ont-ils participé ?
4. Commen(t) ont-ils travaillé ?
5. Commen(t) aller au cinéma ?

 La liaison avec « comment » ne s'entend que dans « Comment/t/ allez-vous ? » ou *Comment/t/ est-ce que… ?

10   **Bon, comment ?** Exemple : *A : On parle de tes difficultés ? B : Bon, mais commen(t) on /n/ en parle ?*

Dites bien la continuité.

1. A : Allez, on en discute.   **B :** ....

2. A : Allez, on en cause.   **B :** ....

3. A : Allez, on en débat.   **B :** ....

À vous !   **Préparatifs.**

Exemple : *A : Les jeunes ont enlevé des meubles.   B : Ils /z/ en /n/ ont enlevé beaucoup ?*

1. A : Ils ont enregistré de la musique.   **B :** ....
2. A : Ils ont envoyé des invitations   **B :** ....
3. A : Ils ont emporté des fleurs.   **B :** ....
4. A : Ils ont emmené des copains.   **B :** ....

Écriture : C'est en forgeant qu'on devient forgeron.

Des écrivains se sont inspirés de ce proverbe pour en imaginer d'autres, en jouant sur les mots.

C'est en lisant ....   Raymond Queneau (1903-1976).
C'est en bûchant ....   Pierre Dac (1893-1975).
À vous ! ....
Lisez les proverbes trouvés.

Lecture

Ou, penchés à l'avant des blanches caravelles,
Ils regardaient monter en un ciel ignoré
Du fond de l'Océan des étoiles nouvelles.
José-Maria de Hérédia (1842-1905), *Les Conquérants.*

frein - franc - front $/\tilde{\epsilon}/$ - $/\tilde{\alpha}/$ - $/\tilde{o}/$

L'**in**c**on**vén**ien**t du voyage, c'est le goût abusif des c**om**parais**on**s.

Gérard Macé (1946-), *Où grandissent les pierres.*

$/\tilde{\epsilon}/$	– lèvres tirées – bouche presque fermée – langue en avant	
$/\tilde{\alpha}/$	– lèvres légèrement arrondies – bouche bien ouverte – langue un peu en arrière	
$/\tilde{o}/$	– lèvres très arrondies arrondies – bouche presque fermée – langue en arrière	
	– l'air passe par la bouche et par le nez	

Vous pouvez aussi étudier la prononciation du $/\tilde{\epsilon}/$ p. 90 (*lait, lin*) et p. 102 (*cinq, cent*)

Vous pouvez aussi étudier la prononciation du $/\tilde{\alpha}/$ p. 92 (*plat, plan*), p. 102 (*cinq, cent*) et p. 106 (*long, lent*)

Vous pouvez aussi étudier la prononciation du $/\tilde{o}/$ p. 96 (*beau, bon*) et p. 106 (*long, lent*).

$/\tilde{\epsilon}/$ s'écrit le plus souvent :	– *in* *im* [1] – *yn* *ym* [1] – *ein* *eim* [1] – *ain* *aim* [1] – *(i)en* *(y)en* *(é)en* Cas particuliers : -*en* – *un* (en région parisienne)	*vin* *timbre* *syndicat* *sympathie* *plein* *Reims* *main* *faim* *mien* *moyen* *européen* *examen* *lundi*
$/\tilde{\alpha}/$ s'écrit le plus souvent :	– *en* *em* [2] – *an* *am* [2] – *aen* *aon* – *(i)en(t)* dans les noms et adjectifs	*vent* *membre* *sans* *chambre* *Caen* *Laon* *client* *patient*
$/\tilde{o}/$ s'écrit le plus souvent :	– *on* *om* [1]	*mon* *ombre* *nom*

[1] Le « *m* » se trouve devant les lettres « *p, b, m* » et parfois en fin de mot.
[2] Le « *m* » se trouve devant les lettres « *p, b, m* ».

1 **Répétez.**

/ɛ̃/ /ɑ̃/ /õ/   **1. Un** grand rond.

     2. Un grand nom.

     3. Un grand pont.

     4. Un grand front.

2 **Répétez. Bouche bien ouverte pour** /ɑ̃/.

/ɑ̃/ /õ/ /ɛ̃/   **1. Dans** mon coin.

     2. Dans ton bain.

     3. Dans son vin.

     4. Dans ton pain.

3 **Répétez ces phrases en style familier.**

/õ/ /ɑ̃/ /ɛ̃/   **1. *On** sent rien.

     2. *On rend rien.

     3. *On prend rien.

     4. *On vend rien.

4 **Qu'est-ce qu'on a attendu !** Exemple : *A : Entrez ! B : Enfin, on/n/ entre !*

Dites bien la liaison obligatoire.

1. A : Avancez !   **B** : ....

2. A : Enregistrez !   **B** : ....

3. A : Embarquez !   **B** : ....

À vous ! **Ah non !**

Exemple : *A : Je viens avec mon copain ?*   *B : Ah non, sans ton copain !*

1. A : Je viens avec mon cousin ?   **B** : ....

2. A : Je viens avec mon parrain ?   **B** : ....

3. A : Je viens avec mon gamin ?   **B** : ....

4. A : Je viens avec le mien ?   **B** : ....

Lecture

Gaston, entends-tu, ne trouves-tu pas, cette conversation pour apprendre à prononcer le son
« an », le son « on », le son « in », a l'air *con ?

Eugène Ionesco (1912-1994), *Exercices de conversation
et de diction françaises pour étudiants américains.*

À vaincre sans péril, on triomphe sans gloire.

Pierre Corneille (1606-0684), *Le Cid* (Acte II, scène 2).

EXERCICES ★★

(308) **5** **Répétez.**

/ɛ̃/ /ɔ̃/ /ɑ̃/ **1.** Il est inconscient. **3.** Il est incompétent.

2. Il est inconstant. **4.** Il est inconsistant.

(309) **6** **Répétez, puis changez le temps du verbe.**

/ɔ̃bj ɛ̃ ɑ̃n/ Exemple : *Combie(n) en* /n/ *avez-vous ?*

1. Imparfait ....

2. Futur ....

3. Conditionnel ....

(310) **7** **On en prend.** Exemple : *A : Vous en prenez cinq ? B : Très bien ! On* /n/ *en prend cinq.*

Dites bien la continuité.

1. A : Vous en prenez quinze ? **B :** ....

2. A : Vous en prenez vingt ? **B :** ....

3. A : Vous en prenez vingt-cinq ? **B :** ....

4. A : Vous en prenez cinquante ? **B :** ....

(311) **8** **Le mien.** Exemple : *A : Je descends un bagage ? B : Descends donc le mien !*

Dites bien l'intonation impérative.

1. A : Je revends un billet ? **B :** ....

2. A : Je défends un dossier ? **B :** ....

3. A : Je lance un projet ? **B :** ....

4. A : Je change un programme ? **B :** ....

5. A : J'échange un ticket ? **B :** ....

(312) **À vous !** **Quelle couleur ?**

Exemple : *A : Et le mur ? Blanc ?* *B : Oui, on l(e) pein(t) en blanc.*

1. A : Ou bien marron ? **B :** ....

2. A : Ou bien brun ? **B :** ....

3. A : Ou bien bronze ? **B :** ....

4. A : Ou bien bleu foncé ? **B :** ....

Lecture

Tous les matins du monde sont sans retour.

Pascal Quignard (1948-), *Petits traités.*

Dans un mois, dans un an, comment souffrirons-nous,

Seigneur, que tant de mers me séparent de vous ?

Jean Racine (1639-1699), *Bérénice* (Acte IV, scène 5).

frein - franc - front /ɛ̃/ - /ɑ̃/ - /ɔ̃/

EXERCICES ★★★

313 **9** Répétez ces phrases en style courant, puis remplacez « les » par « en ».

Exemple : *Ils les/z/ ont/t/ invités. – Ils/z/ en /n/ ont /t/ invité.*

/le/z/õ/t/ɛ̃/ **1.** Ils les ont installés. – ....

2. Ils les ont imposés. – ....

3. Ils les ont indiqués. – ....

314 **10** Répétez ces expressions avec « sens ».

1. Ils sont en sens interdit.

2. Ils vont en sens inverse.

3. Ils sont pleins de bon sens.

4. Ils ne font aucun contresens.

315 ## À vous ! **Pardon ?**

Exemple : *A : Je suis en France pour un an.* *B : Pardon, pour combien d(e) temps ?*

1. A : J'y suis depuis un an. **B :** ....

2. A : J'y reste pendant un an. **B :** ....

3. A : J'y serai dans un an. **B :** ....

316 **11** **Tes meubles.** Exemple : *A : Mes meubles t'encombrent beaucoup ? B : Disons qu'ils sont bien /n/ encombrants...*

Dites bien l'intonation.

1. A : Ils t'embarrassent beaucoup ? **B :** ....

2. A : Ils t'envahissent beaucoup ? **B :** ....

3. A : Ils t'*embêtent beaucoup ? **B :** ....

Lecture

... Vois se pencher les défuntes Années,
Sur les balcons du ciel, en robes surannées ;
Surgir du fond des eaux le Regret souriant,

Le Soleil moribond s'endormir sous une arche,
Et comme un long linceul traînant à l'Orient,
Entends, ma chère, entends la douce Nuit qui marche.

Charles Baudelaire (1821-1867), *Recueillement.*

III – LES CONSONNES

> Les consonnes sont des sons produits par l'air qui rencontre dans la bouche un obstacle total ou partiel.

▰ Caractéristiques des consonnes françaises

■ Toutes les consonnes peuvent se rencontrer au début, au milieu ou à la fin des mots.

– L'articulation des consonnes occlusives et nasales en position finale comporte une détente finale.

– L'articulation des consonnes sonores en position finale maintient la vibration des cordes vocales.

▰ Alphabet phonétique des consonnes

			Consonnes sourdes = sans vibration des cordes vocales assimilables à des fortes		Consonnes sonores = avec vibration des cordes vocales assimilables à des douces	
OCCLUSIVES	L'air rencontre un obstacle total.		/p/	pou	/b/	bout
			/t/	tout	/d/	doux
			/k/	cou	/g/	goût
CONSTRICTIVES	L'air rencontre un obstacle partiel.		/s/	sous	/z/	zou !
			/ʃ/	chou	/ʒ/	joue
			/f/	fou	/v/	vous
SONANTES	**liquides**	L'air rencontre un obstacle partiel.	**vibrante**		/ʀ/	serre
			latérale		/l/	celle
	nasales	L'air rencontre un obstacle total dans la bouche mais s'échappe librement par le nez.			/m/ /n/ /ɲ/	sème saine saigne

■ **Sonorité :**
– Chaque consonne occlusive et chaque consonne constrictive peut être prononcée soit sans vibration des cordes vocales (consonne sourde), soit avec vibration des cordes vocales (consonne sonore). Les consonnes sonantes sont toutes sonores.
– Les consonnes sourdes sont assimilables à des fortes et les consonnes sonores à des douces.

■ **Assimilation :**
– L'opposition consonne forte / consonne douce se maintient, même en cas d'assimilation:

■ **Exemple :**
– *Méd(e)cin*   Le /d/, consonne sonore douce, partiellement assimilé au /s/, consonne sourde forte, est prononcé comme une consonne sourde douce.

Les consonnes occlusives (ou momentanées)

> Les consonnes occlusives sont des sons produits par l'air qui
> rencontre un obstacle total.

■ **Les consonnes occlusives** sont classées selon le point où se trouve l'obstacle total :
  – les deux lèvres (consonnes bi-labiales),
  – la pointe de la langue contre les dents du haut (consonnes dentales),
  – le dos de la langue contre le palais (consonnes palatales).

■ **Les consonnes occlusives sourdes (fortes)** sont prononcées sans vibration des cordes vocales ; on n'entend que le passage de l'air et ces consonnes ne sont qu'un bruit.

■ **Les consonnes occlusives sonores (douces)** sont prononcées avec vibration des cordes vocales ; ces consonnes sont un son associé à un bruit.

Point d'articulation	Consonnes sourdes		Consonnes sonores		Leçon
	Symbole phonétique	Exemple	Symbole phonétique	Exemple	
bi-labial	/p/	pou	/b/	bout	p. 118 et p. 130
dental	/t/	tout	/d/	doux	p. 122 et p. 130
palatal	/k/	cou	/g/	goût	p. 126 et p. 130

317	**Test 1** p. 118 /p/ - /b/	**Répétez.** **1.** peigne – baigne **2.** pain – bain **3.** port – bord **4.** trompe – trombe **Retrouvez : cochez le mot que vous entendez dans les phrases.** 1. peigne ☐ baigne ☐ 2. port ☐ bord ☐ 3. pain ☐ bain ☐ 4. trompe ☐ trombe ☐
318	**Test 2** p. 122 /t/ - /d/	**Répétez.** **1.** tes – des **2.** tentent – tendent **3.** ton – don **4.** vantent – vendent **Retrouvez : cochez le mot que vous entendez dans les phrases.** 1. tes ☐ des ☐ 2. ton ☐ don ☐ 3. tentent ☐ tendent ☐ 4. vantent ☐ vendent ☐
319	**Test 3** p. 126 /k/ - /g/	**Répétez.** **1.** qui – Guy **2.** cri – gris **3.** écoute – égoutte **4.** bac – bague **Retrouvez : cochez le mot que vous entendez dans les phrases.** 1. qui ☐ Guy ☐ 2. écoute ☐ égoutte ☐ 3. cri ☐ gris ☐ 4. bac ☐ bague ☐
320	**Test 4** p. 130 **Occlusives en position finale**	**I – Répétez : masculin – féminin.** 1. Il est grand. – Elle est grande. 2. Il est petit. – Elle est petite. 3. Il est long. – Elle est longue. **Retrouvez : cochez le mot que vous entendez dans les phrases.** *Masculin ou féminin ?* 1. masculin ☐ féminin ☐ 2. masculin ☐ féminin ☐ 3. masculin ☐ féminin ☐ **II – Répétez : singulier – pluriel – subjonctif.** **1.** Il promet. – Ils promettent. – Il faut qu'il promette. **2.** Il convainc. – Ils convainquent. – Il faut qu'il convainque. **3.** Il les corrompt. – Ils les corrompent. – Il faut qu'il les corrompe. **Retrouvez : cochez le mot que vous entendez dans les phrases.** *Singulier – pluriel ?* 1. singulier ☐ pluriel ☐ 2. singulier ☐ pluriel ☐ 3. singulier ☐ pluriel ☐

port - bord

/p/ - /b/

Petit poisson deviendra grand,
Pourvu que Dieu lui prête vie.
> Jean de La Fontaine (1621-1695), « Le Petit Poisson et le Pêcheur », *Fables V, 3.*

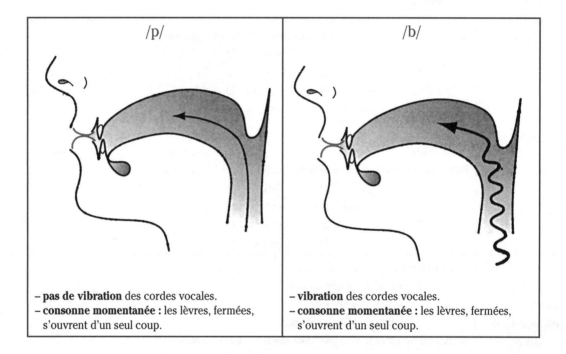

/p/	/b/
– **pas de vibration** des cordes vocales. – **consonne momentanée :** les lèvres, fermées, s'ouvrent d'un seul coup.	– **vibration** des cordes vocales. – **consonne momentanée :** les lèvres, fermées, s'ouvrent d'un seul coup.

 En position finale, les consonnes /p/ et /b/ doivent être prononcées intégralement (voir p. 130). Vous pouvez aussi étudier la prononciation du /b/ p. 154 (*boire, voir*).

/p/ s'écrit le plus souvent :	*– p pp*	*par apprend*
/b/ s'écrit le plus souvent :	*– b bb*	*bon abbaye*

EXERCICES ★

321 **1** **Répétez.**

/p/ - /b/
  1. Il **p**ense **b**eaucou(p) !   **3.** Il **p**laît beaucoup !

  2. Il **p**arle beaucoup !   **4.** Il **p**leure beaucoup !

322 **2** **Répétez les phrases en style familier.**

/b/ - /p/
  1. *Je **b**ois **p**as.   **3.** *Je **b**osse pas.

  2. *Je **b**ouge pas.   **4.** *Je **b**aille pas.

323 **3** **Combien ?** Exemple : *A : Je voudrais des poulets. B : Combien d(e) poulets ?*

Faites bien la chute du /ə/.

1. A : Je voudrais des poissons. **B :** ....

2. A : Je voudrais des poireaux. **B :** ....

3. A : Je voudrais des piments. **B :** ....

4. A : Je voudrais des poires. **B :** ....

324 **4** **Presque !** Exemple : *A : C'est beige ? B : Eh bien... C'est presque beige !*

Dites bien le /ə/ final.

1. A : C'est bleu ? **B :** ....

2. A : C'est blanc ? **B :** ....

3. A : C'est brun ? **B :** ....

4. A : C'est blond ? **B :** ....

325 **À vous !** **Le beau Patrick.**

Exemple : *A : Patrick est beau ... B : C'est l(e) plus beau !*

1. A : Il est bête ... **B :** ....

2. A : Il est bizarre ... **B :** ....

3. A : Il est bavard... **B :** ....

4. A : Il est brutal ... **B :** ....

5. A : Il est brillant... **B :** ....

Lecture

Parlons peu, parlons bien, et surtout parlons bas.

    Carmouche, *N.i.ni.* (Parodie d'*Hernani*, drame de Victor Hugo, 1830).

E X E R C I C E S ★★

(326) **5** Répétez. Faites bien la chute du /ə/.

/p/ - /b/   **1.** Pas d(e) **b**agarres !   **3.** *Pas de bol !

2. Pas de bagages !   **4.** *Pas de blague !

(327) **6** Répétez. Dites bien l'enchaînement consonantique.

/bl/ - /p/   **1.** Il sem|**bl**(e) é**p**uisé.   **3.** Il semble épanoui.

2. Il semble optimiste.   **4.** Il semble impatient.

(328) **7** **Pense bien !** Exemple : *A : Je ferme la porte ? B : Pense bie͡(n)à la fermer.*

Dites bien l'enchaînement vocalique.

1. A : Je laisse la clé ?   **B :** ....

2. A : Je garde la facture ?   **B :** ....

3. A : Je poste la lettre ?   **B :** ....

4. A : Je vide la corbeille ?   **B :** ....

5. A : Je range la revue ?   **B :** ....

(329) **8** **Bien sûr !** Exemple : *A : C'est simple ? B : Bien sûr, c'est simple !*

Dites bien les deux groupes rythmiques.

1. A : C'est souple ?   **B :** ....

2. A : C'est propre ?   **B :** ....

3. A : C'est sombre ?   **B :** ....

4. A : C'est probable ?   **B :** ....

(330) **À vous !**   **Brocante**

Exemple : *A : Cette table est en bon état ?*   *B : Cette table ? Plus ͜/z/ ou moins.*

1. A : Cette fable est illustrée ?   **B :** ....

2. A : Ce meuble est ancien?   **B :** ....

3. A : Ce cartable est neuf ?   **B :** ....

4. A : Ce timbre est abîmé ?   **B :** ....

■■■■■ Lecture

Un͟e blêm͟e blancheur baign͟e les Pyrénées.

Victor Hugo (1802-1885), *Le Cycle héroïque chrétien.*

Aujourd'hui elle a des bœufs, des beaux bœufs blancs, et elle pleure quand il faut les envoyer à Paris pour les faire abattre.

Charles-Albert Cingria (1883-1954), *Bois sec Bois vert.*

331 **9** **Répétez. Dites bien le /p/ de la liaison.**

/b/ - /p ɑ̃/
1. Elle est **b**ien trop /p/ ambitieuse !
2. Elle est bien trop entêtée !

3. Elle est bien trop aimable !
4. Elle est bien trop embarrassée !

332 **10** **Répétez. Dites bien les consonnes géminées avec assimilation.**

/p̬b/
/b̥p/
1. Il fra**pp**(e) **b**eaucoup.
2. Il coupe bien.

3. Il tom**b**(e) **p**ar terre.
4. Il flambe peu.

333 **11** **Pfff...** Exemple : *A : C'est un bricoleur. B : Pff, c'est un pseudo-bricoleur !*

Dites bien le /p/ avant le /s/.

1. A : C'est un brocanteur.
B : ....

2. A : C'est un breton.
B : ....

3. A : C'est une blonde.
B : ....

4. A : C'est une brune.
B : ....

334 ## À vous ! Négatif !

Exemple : *A : Tu lis des livres de poche ?*   *B : *Pas d(e) liv(res) d(e) poche.*

1. A : On fait un arbre de Noël ?
B : ....

2. A : On s'achète une table de nuit ?
B : ....

3. A : Il y a une chambre d'enfants ?
B : ....

4. A : Tu as le quatre de carreau ?
B : ....

335 ## Écriture : Trouvez : l'adjectif en *-able* correspondant au verbe, puis dites les deux mots.

Exemple *: accepter : acceptable*

1. préférer : ....
6. respecter : ....
11. permuter : ....

2. prononcer : ....
7. exploiter : ....
12. profiter : ....

3. pratiquer : ....
8. habiter : ....
13. porter : ....

4. présenter : ....
9. souhaiter : ....
14. remplacer : ....

5. plier : ....
10. épouvanter : ....
15. aimer : ....

Lecture

Ce toit tranquille, où marchent des colombes,
Entre les pins palpite, entre les tombes ;

Paul Valéry (1871-1945), *Le Cimetière marin.*

tes - des

/t/ - /d/

Quelqu'un écou<u>t</u>e.
<u>D</u>'une oreille si a<u>tt</u>en<u>t</u>ive qu'on l'en<u>t</u>end écou<u>t</u>er.
Robert Pinget (1919-1997), *Monsieur Songe.*

/t/	/d/
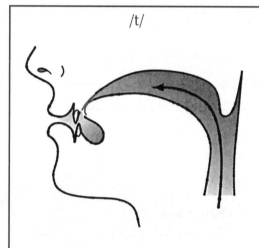	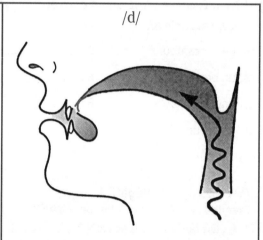
– **pas de vibration** des cordes vocales. – **consonne momentanée :** la pointe de la langue, contre les dents supérieures, se retire d'un seul coup.	– **vibration** des cordes vocales. – **consonne momentanée :** la pointe de la langue, contre les dents supérieures, se retire d'un seul coup.

  En position finale, les consonnes /t/ et /d/ doivent être prononcées intégralement (voir p. 130).

/t/ s'écrit le plus souvent :	– **t tt th** – **d** en liaison	*ton attendre théâtre* *grand ami*
/d/ s'écrit le plus souvent :	– **d dd dh**	*dans addition adhésion*

336 **1**   **Répétez. Dites bien l'intonation interrogative.**

/t/ - /d/
     1. Tu **d**ors ?
     2. Tu dînes ?
     3. Tu déjeunes ?
     4. Tu dessines ?

337 **2**   **Répétez.**

/t/ - /d/
     1. J'écris à **t**es amis. – J'écris à **d**es amis.
     2. J'écris à tes enfants. – J'écris à des enfants.
     3. Je voudrais tes disques. – Je voudrais des disques.
     4. Je voudrais tes dollars. – Je voudrais des dollars.

338 **3**   **Sur votre droite.** Exemple : *A : La gare est devant ? B : D͜evant, sur votr͜e droite.*

Dites bien l'adverbe.

1. A : La poste est derrière ?   **B :** ....

2. A : La boîte aux lettres est dehors ?   **B :** ....

3. A : Le distributeur est dedans ?   **B :** ....

339 **4**   **Sa tante aussi.** Exemple : *A : David est grand. B : Sa tan|t(e) est gran|d(e) aussi.*

Dites bien les enchaînements consonantiques.

1. A : Il est blond.   **B :** ....

2. A : Il est gourmand.   **B :** ....

3. A : Il est allemand.   **B :** ....

340 **À vous !**   **Donne-lui !**

Exemple : *A : Elle me d(e)mande mon DVD.*   *B : *Donne-lui donc ton DVD !*

1. Elle me demande mon dictionnaire.   **B :** ....

2. Elle me demande mon diplôme.   **B :** ....

3. Elle me demande mon document.   **B :** ....

4. Elle me demande mon ordinateur.   **B :** ....

5. Elle me demande mon décodeur.   **B :** ....

Lecture

Il est interdit d'interdire

                   Slogan étudiant (1968).

E X E R C I C E S ★★★

341 **5** **Répétez.**

/t/ - /d/

    1. Il vient **t**'expliquer. – Il vient **d**'expliquer.   **3.** Il vient t'écrire. – Il vient d'écrire.

    2. Il vient t'ouvrir. – Il vient d'ouvrir.   **4.** Il vient t'appeler. – Il vient d'appeler.

342 **6** **Répétez le masculin, puis transformez au féminin.**

/t/ - /d/

    Exemple : *C'est un grand /t/ ami. – C'est une gran|**d(e)** amie.*

    1. C'est un grand artiste. – ....

    2. C'est un grand architecte. – ....

    3. C'est un grand interprète. – ....

    4. C'est un grand intellectuel. – ....

343 **7** **Pas du tout !** Exemple : *A : Tu as reçu des réponses ? B : Pas d(e) réponses du tout !*

Dites bien la chute du /ə/.

1. A : Tu as pris des risques ?   **B :** ....

2. A : Tu as eu des résultats ?   **B :** ....

3. A : Tu as rencontré des résistances ?   **B :** ....

344 **8** **Pourquoi tant ?** Exemple : *A : J'ai des tas de soucis… B : Et pourquoi tant d(e) soucis ?*

Dites bien l'intonation interrogative.

1. A : J'ai des tas de problèmes…   **B :** ....

2. A : J'ai des tas de préoccupations…   **B :** ....

3. A : J'ai des tas de contrariétés…   **B :** ....

4. A : J'ai des tas de tracas …   **B :** ....

345

À vous !   **C'est interdit !**

Exemple : *A : Je peux marcher sur l'herbe ?*   *B : Il est interdit d(e) marcher sur l'herbe.*

1. A : Je peux monter aux arbres ?   **B :** ....

2. A : Je peux ramasser des champignons ?   **B :** ....

3. A : Je peux pêcher les poissons ?   **B :** ....

4. A : Je peux cueillir des fleurs ?   **B :** ....

Lecture

Entendez tambour qui bat !

    Léopold Sédar Senghor (1906-), *Que m'accompagnent Koras et Balafong (III).*

Ce sont amis que vent emporte / Et il ventait devant ma porte / Les emporta

    Rutebeuf (XIIIe siècle), chanté par Léo Ferré.

346 · **9** Répétez : présent – passé récent. Dites bien les consonnes géminées au passé récent.
/d d/
1. Je viens dîner. – Je viens **d**(e) **d**îner.   **3.** Je viens discuter. – Je viens de discuter.

2. Je viens dormir. – Je viens de dormir.   **4.** Je viens dessiner. – Je viens de dessiner.

347 · **10** Répétez. Dites bien les consonnes géminées avec assimilation.
/t̬ d/
1. Ils vo**t**(ent) **d**ans deux mois et d(e)mi.   **3.** Ils partent dans trois mois et demi.

2. Ils y habitent dans dix mois et demi.   **4.** Ils sortent dans sept mois et demi.

348 · **11** ***T(u) as raison !**
Exemple : *A : En montagne, il y a de belles forêts. B : *T(u) as raison,(il) y en a d(e) très belles.*
Dites bien la réponse en style familier.

1. A : Il y a aussi de grands rochers.   **B :** ....

2. A : Et de beaux torrents.   **B :** ....

3. A : Il y a de vieux arbres.   **B :** ....

4. A : Et de °hauts précipices.   **B :** ....

349 · **À vous !**   **Il ne faut pas**
Exemple : A : Je vais descendre !   B : Ah non ! Il ne faut pas qu(e) tu descendes.
1. A : Je vais répondre ?   **B :** ....
2. A : Je vais confondre…   **B :** ....
3. A : Je vais vendre…   **B :** ....
4. A : Je vais perdre…   **B :** ....

Écriture : Racontez vos souvenirs, comme Louis Aragon (1897-1982).

Je me souviens de tant de choses................   ....

De tant de soirs...   ....

De tant de ....

....

Lecture

Tu es, tout seul, tout mon mal et mon bien :
Avec toi tout, et sans toi je n'ai rien :
Et, n'ayant rien qui plaise à ma pensée,
De tout plaisir me trouve délaissée,
Et, pour plaisir, ennui saisir me vient.

Louise Labé (1526-1566), *Elégie.*

cou - goût

/k/ - /g/

Qu'est c' qui passe ici si tard,
Compagnons de la Marjolaine,
Qu'est c' qui passe ici si tard
Gai, gai, dessus le quai.

Ronde populaire, *Les Compagnons de la Marjolaine.*

/k/	/g/
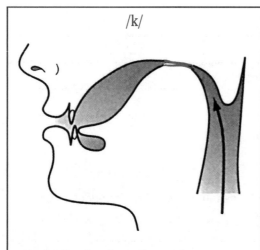	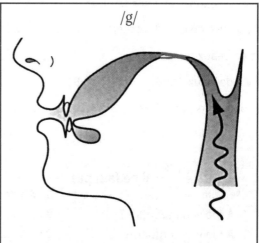
– **pas de vibration** des cordes vocales. – **consonne momentanée :** le dos de la langue, contre le palais, se retire d'un seul coup.	– **vibration** des cordes vocales. – **consonne momentanée :** le dos de la langue, contre le palais, se retire d'un seul coup.

 En position finale, les consonnes /k/ et /g/ doivent être prononcées intégralement (voir p. 130). Vous pouvez aussi étudier la prononciation de /k/ suivi de /s/ et la prononciation de /g/ suivi de /z/ p. 152 (*excellent, examen*).

/k/ s'écrit le plus souvent :	*– c cc ch* *– qu k*	*café accroc chœur* *quai kaki*
/g/ s'écrit le plus souvent :	*– g (+ a ; + o) gu*	*gare goût Guy*

350 **1** **Répétez. Dites bien la consonne sonore devant le /R/.**

/k/ - /gR/

1. Est-ce que c'est gros ?   3. Est-ce que c'est gras ?
2. Est-ce que c'est grand ?   4. Est-ce que c'est gris ?

351 **2** **Répétez. Dites bien deux groupes rythmiques.**

/g/ - /k/

1. À gauche, qu'est-ce qu'il y a ?   3. À gauche, qu'est-ce que tu vois ?
2. À gauche, qu'y a-t-il ?   4. À gauche, que vois-tu ?

352

À vous !   C'est qui ?
Exemple : A : *Tu connais Guy ?*   B : *C'est qui, Guy ?*

1. **A :** *T(u) as déjà rencontré Gaston ?   **B :** ....
2. **A :** *T(u) as déjà rencontré Guillaume ? **B :** ....
3. **A :** *T(u) as déjà rencontré Gaëtan ?   **B :** ....
4. **A :** *T(u) as déjà rencontré Gaëlle ?   **B :** ....
5. **A :** *T(u) as déjà rencontré Gabrielle ? **B :** ....

353 **3** **Lequel ?** Exemple : A : *J'ai rendez-vous avec le garagiste. B : Quel garagiste ?*

Dites bien un seul groupe rythmique.

1. **A :** J'ai rendez-vous avec le gardien.   **B :** ....
2. **A :** J'ai rendez-vous avec le guitariste.   **B :** ....
3. **A :** J'ai rendez-vous avec le guide.   **B :** ....
4. **A :** J'ai rendez-vous avec le guérisseur.   **B :** ....

354 **4** **Combien ?** Exemple : A : *J'ai commandé des gâteaux. B : Combien d(e) gâteaux ?*

Dites bien l'intonation interrogative.

1. **A :** J'ai commandé des galettes.   **B :** ....
2. **A :** J'ai commandé des grogs.   **B :** ....
3. **A :** J'ai commandé des gourmandises. **B :** ....
4. **A :** J'ai commandé des groseilles.   **B :** ....
5. **A :** J'ai commandé des glaces.   **B :** ....

Lecture

Parce que vous êtes un grand seigneur, vous vous croyez un grand génie.

Pierre Caron de Beaumarchais, (1732-1799), *Le Mariage de Figaro (Acte V, scène 3).*

EXERCICES ★★

5 Répétez. Faites bien la chute du /ə/.

/k/ - /g/

1. Quand l(e) goûtez-vous ?
2. Quand le gagnez-vous ?
3. Pourquoi le gardez-vous ?
4. Quand le grondez-vous ?

6 Répétez.

/k/ - /gʀ/ - /kʀ/ 1. Quel grand cru !
2. Quelle grave crise !
3. Quel gros crabe !

7 Qu'est-ce qu'il gagne ?

Exemple : *A : Karim fait souvent du kayak. B : Qu'est-c(e) qu'il ga|gn(e) au kayak ?*

Dites bien l'enchaînement consonantique.

1. **A :** Il fait souvent du canoë.   **B :** ....

2. **A :** Il fait souvent du cross.   **B :** ....

3. **A :** Il fait souvent du karaté.   **B :** ....

8 **Et comment !** Exemple : *A : Tu connais ce concertiste ? B : Et comment ! Quel grand concertiste !*

Dites bien l'intonation.

1. **A :** Tu connais ce compositeur ?   **B :** ....

2. **A :** Tu connais ce collectionneur ?   **B :** ....

3. **A :** Tu connais ce comédien ?   **B :** ....

À vous !   **Quelques-uns...**

Exemple : *A : Combien de grammes ?*   *B : Quelques grammes, comme d'habitude.*

1. **A :** Combien de grains ?   **B :** ....
2. **A :** Combien de granules ?   **B :** ....
3. **A :** Combien de graines ?   **B :** ....

Lecture

Je me souviens que j'étais fier de connaître beaucoup de mots dérivés de *caput* : capitaine, capot, chef, cheptel, caboche, capitale, capitole, chapitre, caporal, etc.

Georges Perec (1936-1982), *Je me souviens.*

EXERCICES ★★★

(360) **9** Répétez. Dites bien les consonnes géminées.

/k k/   **1.** On en fabriq(ue) quand même.

2. On en convoque quand même.

/g g/   **3.** Il ne dialog(ue) guère.

4. Il ne délègue guère.

(361) **10** Répétez. Dites bien les consonnes géminées avec assimilation.

/g̥ k/   **1.** Il blag(ue) quelquefois.

2. Il se drogue quelquefois.

/k̥ g/   **3.** Elle critiq(ue) gratuitement.

4. Elle explique gracieusement.

(362) **11** **Malgré les critiques ?** Exemple : *A : Continuez ! B : Continuer malgré les critiques ?*

Dites bien les deux groupes rythmiques.

1. A : Confirmez !   **B :** ....

2. A : Complétez !   **B :** ....

3. A : Commencez !   **B :** ....

4. A : Commercialisez !   **B :** ....

(363) **12** **Aïe !** Exemple : *A : Aïe ! J'ai des crampes. B : J'ai un *truc qui guérit les crampes.*

Dites bien les consonnes géminées.

1. A : J'ai des courbatures.   **B :** ....

2. A : J'ai des contractures.   **B :** ....

(364) **À vous !**   **Je crains les accidents.**

Exemple : *A : La grêle peut causer des accidents.*   *B : C'est pour ça qu(e) j(e) crains la grêle.*

1. A : Comme la glace !   **B :** ....

2. A : Comme le gravier !   **B :** ....

3. A : Comme le verglas !   **B :** ....

4. A : Comme le gaz !   **B :** ....

Lecture

La barricade tremblait ; lui, il chantait. [...] Les balles couraient après lui, il était plus leste qu'elles. Il jouait on ne sait quel effrayant jeu de cache-cache avec la mort ; chaque fois que la face camarde du spectre s'approchait, le gamin lui donnait un pichenette.

Victor Hugo (1802-1885), *Les Misérables*.

La guerre a pour elle l'antiquité ; elle a été dans tous les siècles.

Jean de La Bruyère (1645-1696), *Du Souverain ou de la République*.

34 tape - tâte - tac
(la prononciation des consonnes occlusives finales)

Nathanaël, à présent, je**tt**e mon livre. Émanci**p**e-t-en.
Qui**tt**e-moi. Qui**tt**e-moi [...]

André Gide (1869-1951), *Les Nourritures terrestres.*

En position finale, les consonnes occlusives (momentanées) doivent être prononcées **intégralement** avec une légère explosion finale due à la détente :

– des deux lèvres pour /p/ et /b/ (voir p. 118),

– de la pointe de la langue pour /t/ et /d/ (voir p. 122)

– du dos de la langue pour /k/ et /g/ (voir p. 126).

On n'entend les consonnes occlusives en fin de mot que si elles sont suivies d'un « e » graphique (non prononcé) :

/p – b/	/t – d/	/k – g/
*ils s'interrom**p**ent*	*ils comba**tt**ent*	*ils vain**qu**ent*
*une ro**b**e*	*elle est bavar**d**e*	*c'est une ba**gu**e*

 Les consonnes occlusives à la fin de certains monosyllabes doivent être prononcées :

/p – b/	/t – d/	/k – g/
*un ce**p** de vigne*	*du champagne bru**t***	*un climat se**c***
*un sno**b***	*au Su**d***	*un bon gro**g***

■ Remarques

1. Le féminin d'un certain nombre de noms et d'adjectifs se forme oralement par la prononciation d'une consonne finale. Cette marque orale s'écrit « e ».

2. La 3ᵉ personne du pluriel du présent de l'indicatif et le subjonctif présent d'un certain nombre de verbes du troisième groupe se forme par la prononciation d'une consonne finale. Cette marque orale s'écrit « e » suivi éventuellement de la marque de la personne.

365 /t/ **1** **Répétez : masculin – féminin. Dites bien le /t/ final du féminin.**

  1. Le débutan(t). – La débutan<u>t</u>e.   **3.** Il est haut. – Elle est hau<u>t</u>e.

  2. Le président. – La présiden<u>t</u>e.   **4.** Il est p(e)tit. – Elle est p(e)ti<u>t</u>e.

366 /d/ **2** **Répétez : singulier – pluriel. Dites bien le /d/ sonore final du pluriel.**

  1. Elle descen(d). – Elles descen<u>d</u>ent.   **3.** Elle correspond. – Elles correspon<u>d</u>ent.

  2. Elle vend. – Elles ven<u>d</u>ent.   **4.** Elle confond. – Elles confon<u>d</u>ent.

367 **3** **Vraiment trop !** Exemple : *A : Cette plaisanterie est un peu courte... B : Elle est vraiment trop courte.*
Dites bien l'intonation.

1. A : Elle est un peu bête...   **B :** ....

2. A : Elle est un peu idiote ...   **B :** ....

3. A : Elle est un peu sotte...   **B :** ....

368 **4** **Quelle blague !** Exemple : *A : Je suis trop petite. B : Toi, trop petite ? Quelle blague !*
Dites bien les trois groupes rythmiques.

1. A : Je suis trop grande.   **B :** ....

2. A : Je suis trop blonde.   **B :** ....

3. A : Je suis trop lente.   **B :** ....

4. A : Je suis trop rapide.   **B :** ....

369

À vous !   **Tout juste.**

Exemple : *A : Ça coûte trente euros. Tu les as ?   B : Trente ? Tout juste.*

1. A : Quarante euros. Tu les as ?   **B :** ....

2. A : Cinquante euros. Tu les as ?   **B :** ....

3. A : Soixante euros. Tu les as ?   **B :** ....

370 **Écriture :** **Trouvez l'adjectif correspondant à l'adverbe, dites les deux mots, puis écoutez l'enregistrement.**

Exemple : *pratiquement : pratique*

1. classiquement : ....   **4.** scientifiquement : ....   **7.** politiquement : ....

2. automatiquement : ....   **5.** magnifiquement : ....   **8.** historiquement : ....

3. tragiquement : ....   **6.** techniquement : ....   **9.** physiquement : ....

 **Lecture**

Donc stop, tel est mon vote sans équivoque.

Ça te choque, je m'en moque.

La vie n'est pas un jackpot.

MC Solaar, « La devise » (chanson rap).

tape - tâte - tac

E X E R C I C E S ★★

371 **5** Répétez : indicatif – subjonctif. Dites bien la consonne finale du subjonctif.

1. Il sor(t). – Il faut qu'il sor**te**.

2. Il perd. – Il faut qu'il per**de**

3. Il rompt. – Il faut qu'il rom**pe**.

4. Il convainc. – Il faut qu'il convain**que**.

372 **6** Répétez. Dites bien les consonnes finales.

1. Loï**c** se trom**pe**.

2. Éric s'écha**ppe**.

3. Frédéric za**ppe**.

4. Jean-Luc l'attra**pe**.

373 **7** Répétez le masculin, puis transformez au féminin.

Exemple : *Qu'est-ce qu'il est lour(d) !*   *– Qu'est-ce qu'elle est lour**de** !*

1. Qu'est-ce qu'il est sourd !   – ....

2. Qu'est-ce qu'il est long !   – ....

3. Qu'est-ce ce qu'il est profond !   – ....

374 **8** **Je pense, je ne pense pas.**

Exemple : *A : Je pense qu'elle descen(d). B : Ah ? Je ne pense pas qu'elle descen**de**.*

Dites bien le /d/ final sonore du subjonctif.

1. A : Je pense qu'elle confond.   **B :** ....

2. A : Je pense qu'elle attend.   **B :** ....

3. A : Je pense qu'elle répond.   **B :** ....

375 **À vous !**   **En fait, tu te trompes !**

Exemple : *A : Ta copine paraît vingt ans.   B : En fait, elle en/n/ a vingt-cinq.*

1. A : Elle paraît trente ans.   **B :** ....

2. A : Elle paraît quarante ans.   **B :** ....

3. A : Elle paraît cinquante ans.   **B :** ....

Lecture

Gilberte révérait sa tante en bloc. En s'attablant, elle tira sa jupe sous son séant, joignit les genoux, rapprocha ses coudes de ses flancs en effaçant les omoplates et ressembla à une jeune fille.

Colette (1873-1954), *Gigi.*

9 **Répétez ces expressions.**

1. Il tombe des cordes.

2. Il en tombe raide.

3. Il tombe sur un bec.

4. Il tombe en syncope.

 10 **Répétez. Prononcez bien la consonne finale des nombres.**

1. Note le code de la porte: « 45-37 ».

2. Note le code de la porte : « 28-25 ».

3. Note le code de la porte : « 60-58 ».

À vous ! Dans les Alpes du Sud.

Exemple : *A : Marc habite où ?*   *B : Marc ? Dans les Alpes du Sud.*

1. A : Où habite Luc?   **B :** ....

2. A : Et Claude ?   **B :** ....

3. A : Et Khaled ?   **B :** ....

4. A : Philippe habite où ?   **B :** ....

5. A : Où habite Baptiste ?   **B :** ....

Écriture

On considère aujourd'hui qu'il existe de multiples formes d'argot. Ce sont des langages particuliers à une profession (argot des bouchers, des sportifs), à un groupe de personnes (argot des prisonniers, des lycéens, français « branché »), à un milieu fermé (argot des banlieues). Dans certains cas, des mots ou expressions d'origine argotique sont passées dans le style familier du français commun, par exemple :

* *crade* = sale

une * *arnaque* = une escroquerie

Trouvez les mots familiers d'origine argotique correspondant aux mots suivants, dites les deux mots, puis écoutez l'enregistrement.

1. un agent de police = * ....

2. des vêtements = * ....

3. un homme = * ....

4. l'argent = * ....

5. une cigarette = * ....

6. fou = * ....

Lecture

Cette chanson utilise des mots et expressions d'origine argotique passés dans le style familier. De plus, l'écriture « tout' » pour « toute » évoque la langue orale.

La vie *débloque à tout' *berzingue

Dans mon époque je deviens *dingue.

Jean Ferrat (1930-2010), *Dingue.*

La pluie, dans la cour où je la regarde tomber, descend à des allures très diverses. Au centre, c'est un fin rideau [...] discontinu, une chute implacable mais relativement lente de gouttes [...] À peu de distance des murs de droite et de gauche tombent avec plus de bruit des gouttes plus lourdes, individuées.

Francis Ponge (1899-1988), *Pluie.*

Les consonnes constrictives (ou continues)

> Les consonnes constrictives sont des sons produits par l'air qui rencontre un obstacle partiel.

■ **Les consonnes constrictives sont classées selon le point où se trouve l'obstacle partiel :**
  – la lèvre du bas contre les dents du haut (consonnes labio-dentales) ;
  – la pointe de la langue contre les dents du haut (consonnes dentales ou sifflantes) ;
  – le dos de la langue contre le palais dur (consonnes palatales ou chuintantes).

■ **Les consonnes constrictives sourdes (fortes)** sont prononcées sans vibration des cordes vocales ; on n'entend que le passage de l'air et ces consonnes ne sont qu'un bruit.

■ **Les consonnes constrictives sonores (douces)** sont prononcées avec vibration des cordes vocales ; ces consonnes sont un son associé à un bruit.

Point d'articulation	Consonnes sourdes		Consonnes sonores		
	Symbole phonétique	Exemple	Symbole phonétique	Exemple	Leçon
labio-dental	/f/	fou	/v/	vous	p. 136
dental	/s/	sous	/z/	zou !	p. 140, p. 148 et p. 150
palatal	/ʃ/	chou	/ʒ/	joue	p. 144

Quelles sont vos difficultés ?

(380) **Test 1** p.136 /f/ - /v/	**Répétez.** **1.** font – vont **2.** fais – vais **3.** frais – vrai **4.** neuf – neuve **Retrouvez : cochez le mot que vous entendez dans les phrases.** 1. font ❏ vont ❏ 3. frais ❏ vrai ❏ 2. fais ❏ vais ❏ 4. neuf ❏ neuve ❏		
(381) **Test 2** p. 140 /s/ - /z/	**Répétez.** **1.** Ils sont. – Ils ont. **2.** poisson – poison **3.** douce – douze **4.** basse – base **Retrouvez : cochez le mot que vous entendez dans les phrases.** 1. Ils sont. ❏ Ils ont. ❏ 3. basse ❏ base ❏ 2. poisson ❏ poison ❏ 4. douce ❏ douze ❏		
(382) **Test 3** p. 144 /ʃ/ - /ʒ/	**Répétez.** **1.** chéri – j'ai ri **2.** boucher – bouger **3.** léché – léger **4.** marche – marge **Retrouvez : cochez le mot que vous entendez dans les phrases.** 1. chéri ❏ j'ai ri ❏ 3. léché ❏ léger ❏ 2. boucher ❏ bouger ❏ 4. marche ❏ marge ❏		
(383) **Test 4** p. 148 /s/ - /ʃ/	**Répétez.** **1.** ces – chez **2.** soie – choix **3.** casse – cache **4.** lasse – lâche **Retrouvez : cochez le mot que vous entendez dans les phrases.** 1. c'est ❏ chez ❏ 3. casse ❏ cache ❏ 2. soie ❏ choix ❏ 4. lasse ❏ lâche ❏		
(384) **Test 5** p. 150 /z/ - /ʒ/	**Répétez.** **1.** zone – jaune **2.** les œufs – les jeux **3.** zeste – geste **4.** case – cage **Retrouvez : cochez le mot que vous entendez dans les phrases.** 1. zone ❏ jaune ❏ 3. zeste ❏ geste ❏ 2. les œufs ❏ les jeux ❏ 4. case ❏ cage ❏		
(385) **Test 6** p. 154 /b/ - /v/	**Répétez.** **1.** bien – viens **2.** bois – vois **3.** bout – vous **4.** cube – cuve **Retrouvez : cochez le mot que vous entendez dans les phrases.** 1. bien ❏ viens ❏ 3. bout ❏ vous ❏ 2. bois ❏ vois ❏ 4. cube ❏ cuve ❏		

35 fer - ver /f/ - /v/

Sou**v**ent **f**emme **v**arie,
bien **f**ol qui s'y **f**ie.

Attribué à François 1er (1494-1547).

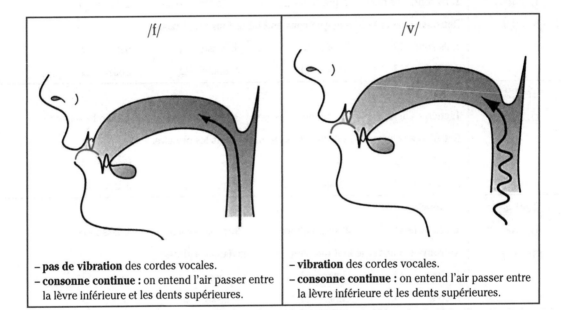

/f/	/v/
– **pas de vibration** des cordes vocales. – **consonne continue :** on entend l'air passer entre la lèvre inférieure et les dents supérieures.	– **vibration** des cordes vocales. – **consonne continue :** on entend l'air passer entre la lèvre inférieure et les dents supérieures.

Vous pouvez aussi étudier la prononciation du /v/ p. 154 (*boire, voir*)

/f/ s'écrit le plus souvent :	– *f ff* – *ph*	*fille effet* *photo*
/v/ s'écrit le plus souvent :	– *v w*	*voiture wagon*

386 **1** **Répétez.**

/f/ - /v/

1. Fais voir !

2. Fais vite voir !

3. Fais vérifier !

4. Fais vite vérifier !

387 **2** **Répétez.**

/v/ - /f/

1. Vous êtes fou.

2. Vous êtes fort.

3. Vous êtes faible.

4. Vous êtes ferme.

388 **3** **Le voilà !** Exemple : *A : J'attends François. B : Voilà François !*

Jouez ce dialogue en utilisant d'autres prénoms.

1. Francis – **2.** Frédéric – **3.** Philippe – **4.** Félix – **5.** Fabien – **6.** Florence –

7. Fatima – **8.** Sophie – **9.** Stéphanie – **10.** Koffi – **11.** Raphaël – **12.** Sofiane.

389 **4** **Je vais le faire.** Exemple : *A : Tu fermes ? B : Je vais fermer.*

Dites bien un seul groupe rythmique.

1. A : Tu forces ? **B :** ....

2. A : Tu fouilles ? **B :** ....

3. A : Tu fonces ? **B :** ....

4. A : Tu frappes ? **B :** ....

390 **À vous !** **On se voit quand ?**

Exemple : *A : On se voit en janvier ?* *B : Rendez-vous vendredi neuf janvier.*

1. A : On se voit en novembre ? **B :** ....

2. A : On se voit en avril ? **B :** ....

3. A : On se voit en février ? **B :** ....

Lecture

Ah ! m'y voila donc enfin au feu[1] ! se dit-il. J'ai vu le feu ! se répétait-il avec satisfaction. Me voici un vrai militaire.

Stendhal (1783-1842), *La Chartreuse de Parme.*

1. Dans ce contexte littéraire, « feu » désigne la guerre ; ici, la bataille de Waterloo (1815).

E X E R C I C E S ★★

391 **5** **Répétez. Dites bien la continuité.**

⚠ Prononciation de « *neuf* » : devant « *heures* » et « *ans* », le « f » est prononcé /v/.

/v/ - /f/   **1.** Voilà neuf enfants.   /v/ - /v/   **3.** Vers neuf /v/ heures.

        2. Voilà neuf invités.   **4.** Vers neuf /v/ ans.

392 **6** **Répétez. Dites bien les enchaînements consonantiques.**

/vR/ - /v/   **1.** On li<u>vr(e)</u> à neu<u>f</u> /v/ heures.   **3.** On manœuvre à neuf /v/ heures.

        2. On ouvre à neuf /v/ heures.

393 **7** **Il faudrait…** Exemple : *A : Ton copain n'écrit pas ? B : Il faudrait qu'il écri<u>v</u>(e)…*

Dites bien la consonne sonore finale du subjonctif.

1. A : Il ne s'inscrit pas ?   **B :** ....

2. A : Il ne poursuit pas ?   **B :** ....

3. A : Il ne reçoit pas ?   **B :** ....

394 **8** **Veinard !** Exemple : *A : Je fais du volley. B : *Veinard ! J'en f(e)rais volontiers, du volley.*

Faites bien la chute du /ə/.

1. A : Je fais du vélo.   **B :** ....

2. A : Je fais du VTT.   **B :** ....

3. A : Je fais du vol à voile.   **B :** ....

4. A : Je fais de la voile.   **B :** ....

5. A : Je fais de la wave .   **B :** ....

395 **À vous !**   **C'est fait !**

Exemple : *A : Il faut faire les valises   B : J(e) vais les faire.   C : *Pas la peine, j(e) viens d(e) les faire !*

1. A : Il faut fermer les fenêtres.   **B :** ....   **C :** ....

2. A : Il faut finir les travaux.   **B :** ....   **C :** ....

3. A : Il faut former les nouveaux.   **B :** ....   **C :** ....

4. A : Il faut féliciter les vainqueurs. **B :** ....   **C :** ....

▬ Lecture

La vie / Ne vaut / D'être vécue

Sans amour / Mais c'est / Vous qui

L'avez / Voulu / Mon amour.

          Serge Gainsbourg (1928-1991), « La Javanaise » (chanson).

396 **9** **Répétez. Dites bien les consonnes géminées sans et avec assimilation.**

/ff/
1. Voilà vos neu**f** **f**rères !   /f͜v/   3. Voilà vos neu**f** **v**iolettes !

2. Voilà vos neuf fleurs !   4. Voilà vos neuf violons !

397 **10** **Répétez : masculin – féminin. Dites bien la consonne sonore finale du féminin.**

/f/ - /v/
1. Ils doi|**v**(ent) ê|tr(e) acti**f**s. – Elles doi|**v**(ent) ê|tr(e) acti**v**es.

2. Ils peuvent être objectifs. – Elles peuvent être objectives.

3. Ils savent être imaginatifs. – Elles savent être imaginatives.

398 **11** **Répétez l'indicatif, puis transformez à l'infinitif puis au subjonctif.**

Exemple : *Elle vous suit.*   *– Elle veut vous suivre.*   *– Il ne faut pas qu'elle vous suive.*

1. Elle vous poursuit.........................   – Elle veut ....   – Il ne faut pas ....

2. Elle vous reçoit. ....   – Elle veut ....   – Il ne faut pas ....

3. Elle vous déçoit...........................   – Elle veut ....   – Il ne faut pas ....

399 **12** **Vous n'en avez pas l'air !** Exemple : *A : Je suis très frileux. B : **Vous**, vous ne faites pas vraiment frileux !*

Dites bien les deux groupes rythmiques.

1. A : Je suis très fragile.   **B :** ....

2. A : Je suis très farceur.   **B :** ....

3. A : Je suis très *froussard.   **B :** ....

4. A : Je suis très *frimeur.   **B :** ....

400 **À vous !**   **Ma famille.**

Exemple : *A : Je vous présente mon* frère ?   *B : Je vais enfin voir votre frère !*

1. A : Je vous présente mon fils ?   **B :** ....

2. A : Je vous présente mon filleul ?   **B :** ....

3. A : Je vous présente ma famille ?   **B :** ....

Lecture

L'effroi devant l'avenir se greffe toujours sur le désir d'éprouver cet effroi.
          Emil Cioran (1911-1995), *De l'inconvénient d'être né.*

Une palme verte voile la fièvre des cheveux, suivre le front courbe.
          Léopold Sédar Senghor (1906-2001), *Masque nègre, chants d'ombre.*

Près des riv**es** miraculeuses
puisqu**e** vous rêvez rêveuse
sur les riv**es** d**e** la vie.
          Philippe Soupault (1897-1990).

36 poisson - poison

/s/ - /z/

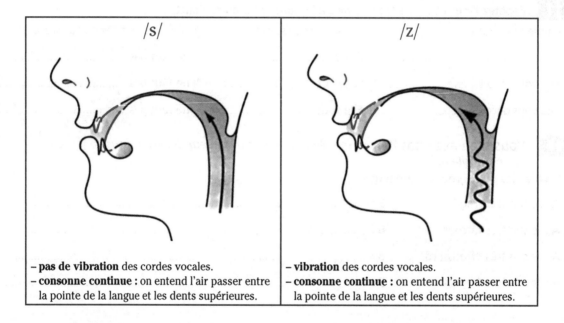

/s/	**/z/**
– **pas de vibration** des cordes vocales. – **consonne continue :** on entend l'air passer entre la pointe de la langue et les dents supérieures.	– **vibration** des cordes vocales. – **consonne continue :** on entend l'air passer entre la pointe de la langue et les dents supérieures.

Vous pouvez aussi étudier la prononciation du /s/ p. 148 (*soie, choix*) et p. 152 (*excellent, examen*).
Vous pouvez aussi étudier la prononciation du /z/ p. 150 (*les œufs, les jeux*) et p. 152 (*excellent, examen*).

/s/ s'écrit le plus souvent :	– *s* sauf entre deux voyelles graphiques – *ss sc* – *ce ci cy* – *ça, ço, çu* – *-ti* + voyelle, sauf dans les imparfaits – Cas particuliers : *x*	*savoir pense* *poisson descendre* *cela cinéma cycle* *ça garçon reçu* *nation patient* *dix soixante*
/z/ s'écrit le plus souvent :	– *s* entre deux voyelles graphiques – *z* – *s* en liaison ; *x* en liaison	*poison* *douze* *tes enfants deux amis*

E X E R C I C E S ★

401 **1** **Répétez. Dites bien la consonne finale sonore.**

/s/ - /z/

    1. Ils s̲ont douze.   **3.** Ils sont quatorze.

    2. Ils sont treize.   **4.** Ils sont quinze.

402 **2** **Répétez : verbe *avoir* – verbe *être*. Dites bien la liaison obligatoire.**

/z/ - /s/

    1. Ils /z/ ont un piano. – Ils s̲ont pianistes.

    2. Ils ont un violon. – Ils sont violonistes.

    3. Ils ont une trompette. – Ils sont trompettistes.

    4. Ils ont une flûte. – Ils sont flûtistes.

403 **3** **C'est possible.** Exemple : *A : Tu viendras le douze ? B : C'est possible le douze.*

Dites bien les deux groupes rythmiques.

1. A : Tu partiras le treize ?   **B :** ....

2. A : Tu sortiras le quinze ?   **B :** ....

3. A : Tu arriveras le quatorze ?   **B :** ....

4. A : Tu rentreras le seize ?   **B :** ....

404 **4** **Très !** Exemple : *A : C'était intéressant ? B : C'était très /z/ intéressant.*

Dites bien le /z/ de la liaison.

1. A : C'était embarrassant ?   **B :** ....

2. A : C'était impressionnant ?   **B :** ....

3. A : C'était éblouissant ?   **B :** ....

405 **À vous !**   **Ça oui...**

Exemple : *A : Je suis sportif.*   *B : Ça oui, vous êtes sportif...*

1. A : Je suis snob.   **B :** ....

2. A : Je suis skieur.   **B :** ....

3. A : Je suis slalomeur.   **B :** ....

4. A : Je suis stressé.   **B :** ....

5. A : Je suis spécialiste.   **B :** ....

Lecture

C'est un peu, dans chacun de ces hommes, Mozart assassiné.

            Antoine de Saint-Exupéry (1900-1944), *Terre des hommes.*

Nous lézards aimons les Muses
Elle̲s Muses aiment les Arts
Avec les Arts on s'amuse
On muse avec les lézards.

            Raymond Queneau (1903-1976), *Muses et lézards.*

E X E R C I C E S ★★

 5 **Répétez : présent passif – passé composé actif. Dites bien la liaison obligatoire.**

/s/ - /z/
1. Ils sont servis. – Ils /z/ ont servi.   **3.** Ils sont signés. – Ils ont signé

2. Ils sont suivis – Ils ont suivi.   **4.** Ils sont surpris. – Ils ont surpris.

6 **Répétez. Dites bien l'enchaînement consonantique.**

/s/ - /z/ - /z/
1. Son hypothè|s(e) est douteuse.   **3.** Cette falaise est dangereuse.

2. Sa thèse est trompeuse.   **4.** Cette fraise est savoureuse.

7 **Assez peu.** Exemple : *A : Ma fille lit assez peu. B : Il faudrait qu'elle lise plus.*

Dites bien le /z/ sonore final du subjonctif.

⚠ Prononciation de « *plus* » : « *plus* » signifie « *d'avantage* » ; en position finale, le « *s* » est prononcé.

1. A : Ma mère conduit peu.   **B :** ....

2. A : Cette architecte construit peu.   **B :** ....

3. A : Cette actrice se produit peu.   **B :** ....

8 **On sait !** Exemple : *A : J'ai six /z/ ans d'ancienneté. B : On sait qu(e) vous /z/ en /n/ avez six /s/ !*

Dites bien les liaisons obligatoires.

1. A : J'ai dix ans d'ancienneté.   **B :** ....

2. A : J'ai douze ans d'ancienneté.   **B :** ....

3. A : J'ai seize ans d'ancienneté.   **B :** ....

À vous !   **Mais vous les avez !**

Exemple : *A : Vous savez les résultats. ?   B : Mais vous les /z/ avez, les résultats !*

1. A : Vous savez les conditions ?   **B :** ....

2. A : Vous savez les statistiques ?   **B :** ....

3. A : Vous savez ses coordonnées ?   **B :** ....

4. A : Vous savez ses mots de passe ?   **B :** ....

5. A : Vous savez ses identifiants ?   **B :** ....

Écriture : **Créez des allitérations en /s/ et /z/ sur le modèle des poètes :**

Pour qui sont ces serpents qui sifflent sur vos têtes.

Jean Racine (1639-1699), *Andromaque.*

Les sons aigus des scies et les cris des ciseaux.

Paul Valéry (1871-1945).

9 Répétez la forme pronominale puis transformez à la forme active au pluriel.

/411/ /s/ - /z/

Exemple : *Ils s'aident. – Ils /z/aident.*

1. Ils s'avancent. – Ils avancent. **3.** Ils s'expliquent. – Ils expliquent.

2. Ils s'informent. – Ils informent. **4.** Ils s'excusent. – Ils excusent.

10 Répétez. Dites bien les consonnes géminées sans, puis avec assimilation.

/412/

/ss/ **1.** Une gross(e) salade.   /z̥s/ **3.** Une bas(e) solide.

2. Une fausse sortie.   **4.** Une chose stupide.

/zz/ **1.** Les mauvais(e)s /z/ herbes. /s̬z/ **3.** Les bass(e)s /z/ œuvres.

2. De nombreuses idées.   **4.** De grosses erreurs.

11 **Tous.** Exemple : *A : Je suis sous-équipée... B : On est tous sous-équipés !*

/413/

Dites bien les consonnes géminées.

⚠ « *tous...* » est un pronom, le « s » final est prononcé.

1. A : Je suis sous-informée...   **B :** ....

2. A : Je suis sous-employée... **B :** ....

3. A : Je suis sous-estimée…   **B :** ....

12 **Je suppose...** Exemple : *A : Chardin est né en 1700 ? B : Je suppose... Aux alentours de 1700...*

/414/

Dites bien l'intonation.

1. A : Poussin est né en 1600 ?   **B :** ....

2. A : Watteau est né en 1700 ? **B :** ....

3. A : Clouet est né en 1500 ?   **B :** ....

Peintres : Jean-Baptiste Chardin (1699-1779), Nicolas Poussin (1594-1665), Antoine Watteau (1684-1721), Jean Clouet (1485-1541).

À vous ! **C'est ça !**

/415/

Exemple : *A : Vous vous séparez ?* *B : C'est ça, on s(e) sépare ...*

1. A : Vous vous surveillez ?   **B :** ....

2. A : Vous vous supportez ?   **B :** ....

3. A : Vous vous sacrifiez ?   **B :** ....

4. A : Vous vous suivez ?   **B :** ....

Lecture

Quand le ciel bas et lourd pèse comme un couvercle
Sur l'esprit gémissant en proie aux longs ennuis,
Et que de l'horizon embrassant tout le cercle
Il nous verse un jour noir plus triste que les nuits [...]

Charles Baudelaire (1821-1867), « Spleen », *Les Fleurs du Mal.*

37 chou - joue

/ʃ/ - /ʒ/

Il songe en son **j**ardin d'ar**g**ent l'Amant lunaire,
L'étran**g**e Amant qu'un **j**et nei**g**eux de lune effleure ;
Et la nuit est de **g**ivre et semble ima**g**inaire.

Nicolas Beauduin (1880-1960), *Endymion.*

/ʃ/	/ʒ/
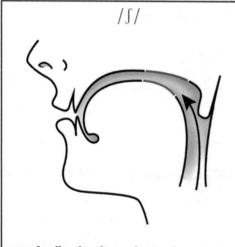	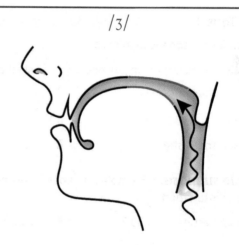
– **pas de vibration** des cordes vocales. – **consonne continue :** on entend l'air passer entre le dos de la langue et le palais ; les lèvres sont vers l'avant.	– **vibration** des cordes vocales. – **consonne continue :** on entend l'air passer entre le dos de la langue et le palais ; les lèvres sont vers l'avant.

Vous pouvez aussi étudier la prononciation du /ʃ/ p. 148 (*soie, choix*)
Vous pouvez aussi étudier la prononciation du /ʒ/ p. 150 (*les œufs, les jeux*)

/ʃ/ s'écrit le plus souvent :	– *ch sch* – Cas particuliers : *sh*	*chien schéma* *sushi*
/ʒ/ s'écrit le plus souvent :	– *j* – *ge + a ge + o ge + u* – *g + e g + i*	*je* *mangeait Georges gageure* *genou girafe*

E X E R C I C E S ★

 1 **Répétez.**
/ʃ/ - /ʒ/
    1. Chez Jean-Claude.   **3. Chez** Jean-Paul.
    2. Chez Jean-Pierre.   **4. Chez** Jean-Jacques.

 2 **Répétez, puis jouez le rôle A et le rôle B.**
1. A : Cherchez !   **B :** Je cherche.
2. A : Chantez !   **B :** Je chante.
3. A : Chauffez !   **B :** Je chauffe.
4. A : Choisissez !   **B :** Je choisis.

 3 **Génial !** Exemple : *A : Tu as réussi ! B : *Génial ! J'ai réussi...*
Dites bien l'intonation.
1. A : Tu as gagné !   **B :** ....
2. A : Tu as progressé !   **B :** ....
3. A : Tu as avancé !   **B :** ....

4 **Juste une page.** Exemple : *A : Tu regardes quelque chose ? B : Je r(e)garde jus|t(e) une page.*
Dites bien l'enchaînement consonantique.
1. A : Tu consultes quelque chose ?   **B :** ....
2. A : Tu copies quelque chose ?   **B :** ....
3. A : Tu photocopies quelque chose ?   **B :** ....
4. A : Tu étudies quelque chose ?   **B :** ....

À vous ! **Jamais !**
Exemple : *A : Tu bois du champagne ?*   *B : Jamais d(e) champagne !*
1. A : Tu ramasses des champignons ?   **B :** ....
2. A : Tu prends du chocolat ?   **B :** ....
3. A : Tu fais de la chantilly ?   **B :** ....
4. A : Tu manges du chou ?   **B :** ....

Lecture

Je ne cherche pas, je trouve.
    Pablo Picasso (1881-1973).
Quand j'étais jeune, je me croyais immortel. J'ai changé d'avis.
    Georges Perros (1923-1978), *Papiers collés* I.

E X E R C I C E S ★★

(421) **5** **Répétez.**

/ʃ/ - /ʒ/ - /ʒ/ **1.** Chaque jour de janvier. **3.** Chaque jeudi d(e) janvier.
2. Chaque jour de juin. **4.** Chaque jeudi d(e) juin.

(422) **6** **Répétez. Dites bien l'enchaînement consonantique.**

/ʒ/ - /ʃ/ **1.** Il ran|g(e) un chapeau. **3.** Il range un Tshirt.
2. Il range un short. **4.** Il range un chiffon.

(423) **7** **Justement...** Exemple : A : Je loue des chambres. B : Justement, je cher|ch(e) une chambre.
Dites bien l'enchaînement consonantique.

1. A : J'écris des chansons. **B :** ....

2. A : Je range les chemises. **B :** ....

3. A : J'apporte des chaises. **B :** ....

(424) **8** **Un dimanche.** Exemple : A : Vous vous êtes rencontrés à Genève ? B : Oui, un diman|ch(e) à Genève.
Dites bien l'enchaînement consonantique.

1. A : Vous vous êtes connus en Géorgie ? **B :** ....

2. A : Vous vous êtes retrouvés à Jérusalem ? **B :** ....

3. A : Vous vous êtes revus au Japon ? **B :** ....

4. A : Vous vous êtes quittés en Jordanie ? **B :** ....

(425) **À vous !** **Dommage !**
Exemple : A : Ce jour ne me convient pas. B : Dommage! Changeons d(e) jour!
1. A : Ce journal ne me convient pas. **B :** ....
2. A : Ce jeu ne me convient pas. **B :** ....
3. A : Ce jouet ne me convient pas. **B :** ....

(426) **Écriture :** Trouvez le nom en -chage correspondant au verbe, dites les deux mots, puis
écoutez l'enregistrement. Exemple : éplucher : épluchage.

1. défricher : .... **4.** coucher : .... **7.** sécher : ....

2. accrocher :........................... **5.** arracher : .... **8.** reboucher : ....

3. afficher : .... **6.** repêcher : .... **9.** rabâcher : ....

427 **9** Répétez. Dites bien la séquence de /ə/ et l'assimilation.

/ʒ/ - /ʒ̊t/
1. Je crois c(e) que j(e) te dis.   **3.** Je sais ce que je te propose.
2. Je vois ce que je te décris.   **4.** Je fais ce que je te conseille.

428 **10** Répétez. Dites bien la phrase en style courant.

/ʒ/ - /ʒ ʒ/
1. Je n(e) le dérange jamais.   **3.** Je ne le néglige jamais.
2. Je ne le corrige jamais.

/ʒ/ - /ʃ ʒ/
4. Je ne le cherch(e) jamais.   **6.** Je ne me fâche jamais.
5. Je ne le lâche jamais.

429 **11** **Chaque fois que je peux.** Exemple : *A : Tu marches ? B : J(e) march(e) chaque fois qu(e) je peux.*
Dites bien les consonnes géminées et la séquence de /ə/.

1. A : Tu chasses ?   **B :** ....
2. A : Tu pêches ?   **B :** ....
3. A : Tu plonges ?   **B :** ....
4. A : Tu nages ?   **B :** ....

430
À vous !   **C'est ce que je fais.**
Exemple : *A : Tu cherches un deux-pièces ?   B : C'est c(e) que j(e) cherche.*
1. A : Tu changes les rideaux ?   **B :** ....
2. A : Tu choisis les meubles ?   **B :** ....
3. A : Tu chines les vieilles faïences ?   **B :** ....

Écriture

Exemple :   *Cherche jeune femme riche, chaleureuse, joyeuse, ...*
Écrivez, sur le même modèle, d'autres petites annonces.

Cherche ....
....
....

Lecture

Un enfant a dit
je sais des poèmes
un enfant a dit
chsais des poaisies[1].
        Raymond Queneau (1903-1976), *L'instant fatal, Un enfant a dit.*

1. = je sais des poésies. Le jeu entre l'orthographe et la prononciation n'a-t-il pas un effet poétique ?

soie - choix

$/s/ - /\int/$

Un **ch**a**ss**eur **s**a**ch**ant **ch**a**ss**er
doit **s**avoir **ch**a**ss**er **s**an**s s**on **ch**ien.

Virelangue.

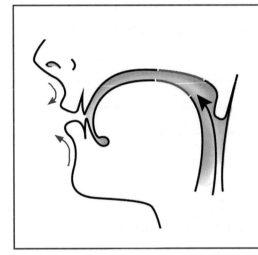

/s/

– **pas de vibration** des cordes vocales.
– **consonne continue :** on entend l'air passer entre
 la pointe de la langue et les dents supérieures.

/ ∫ /

– **pas de vibration** des cordes vocales.
– **consonne continue :** on entend l'air passer entre
 le dos de la langue et le palais.
– les lèvres sont vers l'avant.

Vous pouvez aussi étudier la prononciation du /s/ p. 140 (*poisson, poison*).
Vous pouvez aussi étudier la prononciation du /∫/ p. 144 (*chou, joue*).

/s/ s'écrit le plus souvent :	– **s** sauf entre deux voyelles graphiques – **ss sc** – **ce ci cy** – **ça ço çu** – **-ti** + voyelle, sauf imparfait – Cas particuliers : **x**	*savoir pense* *poisson descendre* *cela cinéma cycle* *ça garçon reçu* *nation patient* *dix soixante*
/∫/ s'écrit le plus souvent :	– **ch sch** – Cas particuliers : **sh**	*chien schéma* *shampoing*

431 /s/ - /ʃ/ **1** **Répétez.**
1. C'est **ch**ez moi. – **2.** C'est chez toi. – **3.** C'est chez nous. – **4.** C'est chez vous.

432 **2** **C'est cher...** Exemple : *A : C'est chic ? B : C'est chi|c et c'est cher...*

Dites bien les deux groupes rythmiques.

1. A : C'est chaud ?   **B :** ....

2. A : C'est chauffé ?   **B :** ....

3. A : C'est charmant ?   **B :** ....

433 /s/ - /ʃ/ - /s/ **3** **Répétez.**
1. Passez **ch**ez Sonia !   **3.** Passez chez Sandra !
2. Passez chez Stéphane !   **4.** Passez chez Cyrille !

434 **À vous !**   **Quelle chance !**
Exemple : *A : Ça y est, je sors.* *B : Tu sors ? Quelle chance !*
1. A : Ça y est, je signe.   **B :** ....
2. A : Ça y est, je suis.   **B :** ....
3. A : Ça y est, je sais.   **B :** ....
4. A : Ça y est, je saisis.   **B :** ....

435 /ʃj/ - /sj/ **4** **Répétez.**
1. C'est son **chi**en. – C'est l(e) **si**en. – C'est son ancien chien.
2. C'est sa chienne. – C'est la sienne. – C'est son ancienne chienne.

436 **5** **Pas celui-là.** Exemple : *A : Tu as déjà vu ce chirurgien ? B : Non, pas c(e) chirurgien-là.*

Faites bien la chute du /ə/.

1. A : Tu as déjà rencontré ce chercheur ?   **B :** ....

2. A : Tu as déjà écouté ce chanteur ?   **B :** ....

3. A : Tu as déjà vu ce chauffeur ?   **B :** ....

4. A : Tu as déjà rencontré ce chimiste ?   **B :** ....

Lecture

La chère chose qu'est l'absence.

Samuel Beckett, 1906-1989, *Malone meurt.*

À chaque nuit son jour, à chaque mont son val,
À chaque jour sa nuit, à chaque arbre son ombre,
À chaque être son Non, à chaque bien son mal,

Raymond Queneau (1903-1976), *L'Explication des métaphores.*

39 les œufs - les jeux /z/ - /ʒ/

Un Lièvre en son **g**îte son**g**eait
(car que faire en un **g**îte, à moins que l'on ne son**g**e ?) ;
Dans un profond ennui ce Lièvre se plon**g**eait :
Cet animal est triste, et la crainte le ron**g**e.

> Jean de La Fontaine (1621-1695), « Le Lièvre et les Grenouilles », *Fables, Livre II*.

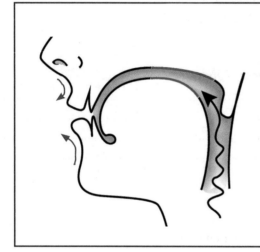

/z/
– **vibration** des cordes vocales.
– **consonne continue :** on entend l'air passer entre la pointe de la langue et les dents supérieures.

/ʒ/
– **vibration** des cordes vocales.
– **consonne continue :** on entend l'air passer entre le dos de la langue et le palais.
– les lèvres sont vers l'avant.

Vous pouvez aussi étudier la prononciation du /z/ p. 138 (*poisson, poison*).
Vous pouvez aussi étudier la prononciation du /ʒ/ p. 144 (*chou, joue*).

/z/ s'écrit le plus souvent :	– **s** entre deux voyelles graphiques – **z** – **s** en liaison **x** en liaison	*poison* *douze* *tes enfants deux amis*
/ʒ/ s'écrit le plus souvent :	– **j** – **ge + a ge + o ge + u** – **g + e g + i**	*je* *mangeait Georges gageure* *genou girafe*

1 Répétez. Dites bien la liaison obligatoire.

/ʒ/ - /z/

1. Je les /z/ aime.   **3.** Je les admire.

2. Je les écoute.   **4.** Je les observe.

2 **Avec Jean.** Exemple : *A : Les enfants ont joué avec Jean ? B : Ils /z/ ont déjà joué avec Jean.*

Dites bien la liaison obligatoire.

1. A : Les enfants ont joué avec Justin ?   **B :** ....

2. A : Ils ont joué avec Jacques ?   **B :** ....

3. A : Ils ont joué avec Julien ?   **B :** ....

4. A : Ils ont joué avec Jérôme ?   **B :** ....

5. A : Ils ont joué avec Jérémy ?   **B :** ....

3 Répétez. Faites bien la chute du /ə/.

/ʒ/ /z/

1. Il y a beaucoup d(e) jeunes /z/ électeurs.   **3.** Il y a beaucoup de jeunes adultes.

2. Il y a beaucoup de jeunes élus.   **4.** Il y a beaucoup de jeunes enfants.

À vous !   **Moi, jamais !**

Exemple : *A : Tu as rangé les contrats ?*   *B : Moi, jamais je n(e) les /z/ ai rangés.*

1. A : Tu as dirigé les travaux ?   **B :** ....

2. A : Tu as corrigé les exercices ?   **B :** ....

3. A : Tu as changé les conditions ?   **B :** ....

4 Répétez.

/z ʒ/

1. Douz(e) jeunes gens.   **3.** Douze journaux.

2. Douze joueurs.   **4.** Douze jaunes d'œufs.

5 **Quand donc ?** Exemple : *A : Vous m'avez épuisé ! B : Quand vous /z/ ai-j(e) épuisé ?*

Dites bien la continuité de cette phrase.

1. A : Vous m'avez amusé !   **B :** ....

2. A : Vous m'avez abusé !   **B :** ....

3. A : Vous m'avez apaisé !   **B :** ....

Lecture

Il y a de l'orag' dans l'air
il y a de l'eau dans le gaz
entre le jazz et la java.   Claude Nougaro, « Le jazz et la java » (chanson).

En ce temps-là j'étais en mon adolescence
J'avais à peine seize ans et je ne me souvenais déjà plus de mon enfance
J'étais à seize mille lieues du lieu de ma naissance...

Blaise Cendrars (1887-1961), *Prose du Transsibérien et de la petite Jehanne de France*

40 excellent - examen /ks/ - /gz/

Je comprends très bien, dit Dieu,
qu'on fasse son examen de conscience.
C'est un excellent exercice.

Charles Péguy (1873-1914), *Le Mystère des Saints Innocents.*

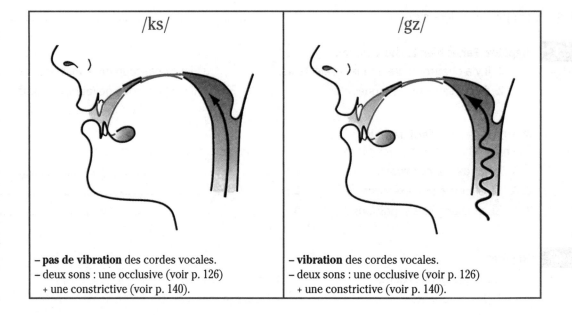

/ks/	/gz/
– **pas de vibration** des cordes vocales.	– **vibration** des cordes vocales.
– deux sons : une occlusive (voir p. 126)	– deux sons : une occlusive (voir p. 126)
+ une constrictive (voir p. 140).	+ une constrictive (voir p. 140).

Vous pouvez étudier la prononciation du /k/ et du /g/ p. 126 (*coût, goût*) et celle du /s/ et du /z/ p. 140 (*poisson, poison*).

/ks/ s'écrit le plus souvent :	– *cc* + *e* *cc* + *i* – *x* entre deux voyelles – *ex* + consonne (début de mot)	*accent accident* *taxi* *excellent*
/gz/ s'écrit le plus souvent :	– *ex* + voyelle (en début de mot)	*examen*

443 **1** **Répétez. Dites bien les liaisons.**

/ks/ - /gz/ **1.** C'est /t/ un /n/ **excellent** /t/ **examen.** **3.** C'est un excellent exemple.

2. C'est un excellent exercice. **4.** C'est un excellent exemplaire.

444 **2** **Exactement ?** Exemple : *A : Il est treize heures. B : Excusez-moi, il est exactement treize heures ?*

Dites bien l'intonation.

1. A : Il est quatorze heures. **B :** ....

2. A : Il est quinze heures. **B :** ....

3. A : Il est seize heures. **B :** ....

4. A : Il est six heures. **B :** ....

445 **3** **Répétez. Dites bien la liaison obligatoire.**

1. À Aix, il existe beaucoup d'excellents /z/ artistes. **3.** À Aix, il existe beaucoup d'excellents architectes.

2. À Aix, il existe beaucoup d'excellents interprètes. **4.** À Aix, il existe beaucoup d'excellents artisans.

446 **À vous !** **Examinons-les !**

Exemple : *A : Je connais des exceptions.* *B : Examinons ces /z/ exceptions.*....................................

1. A : J'ai noté des expressions. **B :** ....

2. A : J'ai fait des expériences. **B :** ....

3. A : Il m'a donné des explications. **B :** ....

447 **4** **Il exagère toujours !** Exemple : *A : Maxime a l'accent grec. B : Maxim(e) exagère son accent !*

Dites bien l'intonation exclamative.

1. A : Alexandre a l'accent russe. **B :** ....

2. A : Alix a l'accent italien. **B :** ....

3. A : Félix a l'accent espagnol. **B :** ....

448 **5** **Répétez. Dites bien les consonnes géminées.**

1. Il exerc(e) son exceptionnelle intelligence. **3.** Il exerce son exceptionnelle résistance.

2. Il exerce son exceptionnelle mémoire.

Lecture

J'expulse mes dernières expirations dans un excès de rage et avec excentricité. Je m'exprime de façon inexplicable, extralucide, [...] j'extrais et faxe tous mes textes et indexes par télex puis télétex avec exactitude pour prouver mon existence et là j'exulte, je m'exalte, je me relaxe, l'examen est terminé.

Le blog de Satine. http://raison-et-sentiment.over-blog.com/9-categorie-10867784.html.

Syntaxe de l'éclair, ô pur langage de l'exil !

Saint-John Perse (1887-1975), *Exil.*

41 boire - voir

/b/ - /v/

« ... À haute voix s'écriait : « À boire ! à boire ! à boire ! »
comme invitant tout le monde à boire,
si bien qu'il fut ouï de tout le pays de Beusse et de Bibaroys. »

François Rabelais (1483-1553), *Gargantua*, VI.

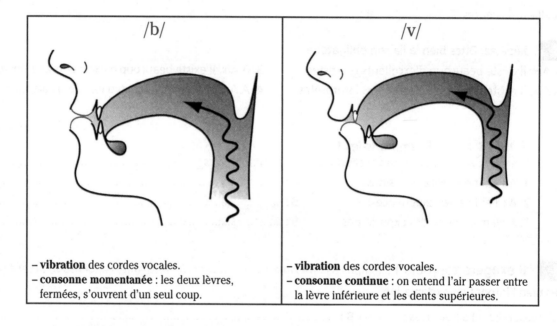

/b/	/v/
– **vibration** des cordes vocales. – **consonne momentanée** : les deux lèvres, fermées, s'ouvrent d'un seul coup.	– **vibration** des cordes vocales. – **consonne continue** : on entend l'air passer entre la lèvre inférieure et les dents supérieures.

Vous pouvez aussi étudier la prononciation du /b/ p. 118 (*port, bord*)
Vous pouvez aussi étudier la prononciation du /v/ p. 136 (*fer, ver*)

/b/ s'écrit le plus souvent :	– *b bb*	*bon abbaye*
/v/ s'écrit le plus souvent :	– *v w*	*voiture wagon*

449 **1** **Répétez.**

/b/ - /v/

1. C'est **bien v**ous ?

2. C'est bien vu ?

3. C'est bien vert ?

4. C'est bien vieux ?

450 **2** **Répétez. Dites bien l'enchaînement vocalique.**

/v/ - /b/

1. Vien(s) à la **b**oulangerie !

2. Viens à la boucherie !

3. Viens à la banque !

4. Viens à la bibliothèque !

451 **3** **Bien volontiers.** Exemple : *A : Tu veux une banane ? B : Une banane ? Bien volontiers.*

Dites bien l'intonation.

1. A : Un beignet ? **B :** ....

2. A : Un biscuit ? **B :** ....

3. A : Une bière ? **B :** ....

452 **À vous !** **C'est vrai !**

Exemple : *A : C'est bête !* *B : C'est vrai ! C'est bête !*

1. A : C'est bien ! **B :** ....

2. A : C'est beau ! **B :** ....

3. A : C'est bon ! **B :** ....

4. A : C'est bas ! **B :** ....

5. A : C'est bizarre ! **B :** ....

6. A : C'est banal ! **B :** ....

453 **4** **Ça vous va ?** Exemple : *A : Vous venez en septembre ? B : Vers le vingt septembre, ça vous va ?*

Dites bien l'intonation.

1. A : Vous venez en décembre ? **B :** ....

2. A : Vous venez en janvier ? **B :** ....

3. A : Vous venez en février ? **B :** ....

4. A : Vous venez en novembre ? **B :** ....

Lecture

V'la l'bon vent

V'la l'joli vent

V'la l'bon vent ma mie m'appelle ...

Chanson populaire.

« *V'la* » est la forme familière et populaire de « voilà ».

« l' » : ici, forme orale de « le »,

E X E R C I C E S ★★

454 **5** **Répétez.**

/v/ - /v/ - /b/ **1. Vous vous baignez ?** **3. Vous vous *baladez ?**
2. Vous vous battez? **4. Vous vous bousculez ?**

455 **6** **Répétez.**

/b/ - /v/ - /b/ **1. Bravo pour le *boulot !** **3. Bravo pour le *bouquin !**
2. Bravo pour le bénéfice ! **4. Bravo pour le brevet !**

456 **7** **Vraiment bien !** Exemple : *A : Je suis bien installée. B : Vraiment bien /n/ installée !*
Dites bien la liaison.

1. A : J(e) suis bien informée. **B :** ....

2. A : Je suis bien organisée. **B :** ....

3. A : Je suis bien occupée. **B :** ....

457 **8** **Oui, bientôt.** Exemple : *A : Tu nous parles bientôt ? B : **Oui**, j(e) vais bientôt vous parler.*
Dites bien un deux groupes rythmiques.

1. A : Tu nous téléphones bientôt ? **B :** ....

2. A : Tu nous le montres bientôt ? **B :** ....

3. A : Tu nous consultes bientôt ? **B :** ....

4. A : Tu nous expliques bientôt ? **B :** ....

458 **À vous !** **Va pour un bon verre !**
Exemple : *A : Un bourgogne ? B : Va pour un verre de bourgogne !*
1. A : Un bordeaux ? **B :** ....
2. A : Un beaujolais ? **B :** ....
3. A : Une bière ? **B :** ....

Lecture

Cette valse	est un vin	qui ressemble	au saumur
Cette valse	est le vin	que j'ai bu	dans tes bras
Tes cheveux	en sont l'or	et mes vers	s'en émurent
Valsons-la		comme on saute un mur	
Ton nom s'y murmure	Elsa valse	et valsera.	

Louis Aragon (1897-1982), *Elsa-Valse*.

Comme un bœuf bavant au labour le navire s'enfonce dans l'eau pénible.

Jules Supervielle (1884-1960), *Débarcadères*.

E X E R C I C E S ★★★

459 **9** **Répétez. Faites bien la chute du /ə/.**

1. Vous avez rendez-vous dans la banlieue d(e) Versailles ?

2. Vous avez rendez-vous dans la banlieue de Valence ?

3. Vous avez rendez-vous dans la banlieue de Valenciennes ?

4. Vous avez rendez-vous dans la banlieue de Vannes ?

460 **10** **Répétez.**

/b v/   **1.** Ça tom**be** **v**ite.

          2. Ça flambe vite.

/v b/   **3.** Ils en sa**v**ent **b**eaucoup.

          4. Ils en boivent beaucoup.

461 **11** **Ça va avec ce vert.** Exemple : *A : Tu aimes ce bleu ? **B** : Ce bleu va bie(n) avec ce vert.*

Dites bien l'enchaînement vocalique.

1. Tu aimes ce blanc ?   **B** : ....

2. Tu aimes ce beige ?   **B** : ....

3. Tu aimes ce brun ?   **B** : ....

462 **12** **Les voisines et moi...** Exemple : A : Les voisines m'approuvent. B : Elles peuvent bien vous approuver !

Dites bien l'intonation.

1. A : Elles m'observent.   **B** : ....

2. A : Elles m'énervent.   **B** : ....

463 **À vous !**   *Ça (ne) vous arrive pas souvent.

Exemple : *A : Pardon, je bafouille !*   B : *Ça (ne) vous arrive pas souvent d(e) bafouiller !*

1. A : Pardon, je bredouille !   **B** : ....

2. A : Pardon, je bavarde !   **B** : ....

3. A : Pardon, je *bosse !   **B** : ....

4. A : Pardon, je blague !   **B** : ....

Lecture

Le vierge, le vivace et le bel aujourd'hui

Va-t-il nous déchirer avec un coup d'aile ivre

Ce lac dur oublié que hante sous le givre

Le transparent glacier des vols qui n'ont pas fui !

Stéphane Mallarmé (1842-1898), Sonnets II.

Les consonnes sonantes

> **Les consonnes sonantes nasales** sont des sons produits par l'air qui rencontre un obstacle total dans la bouche mais s'échappe librement par le nez.

■ **Les consonnes sonantes nasales sont classées selon le point où se trouve l'obstacle total :**

– pour le /m/, les deux lèvres (consonne bi-labiale) ;
– pour le /n/, la pointe de la langue contre les dents du haut (consonne dentale) ;
– pour le / ɲ /, le dos de la langue contre le palais (consonne palatale).

> **Les consonnes sonantes liquides** sont des sons produits par l'air qui rencontre un obstacle partiel dans la bouche.

■ **Les consonnes sonantes liquides sont classées selon le point où se trouve l'obstacle partiel :**

– pour le /R/, consonne vibrante liquide, la luette (ou le palais mou) vibre contre la racine de la langue ;
– pour le /l/, consonne liquide, l'air s'écoule par les côtés de la langue (la pointe étant appuyée contre les dents du haut).

Point d'articulation	Consonnes sonantes		Symbole phonétique	Exemple	Leçon
bi-labial	**nasales**		/m/	sème	p. 160
dental			/n/	saine	
palatal			/ ɲ /	saigne	
racine de la langue	**liquides**	**vibrante**	/R/	serre	p. 162 et p. 166
côtés de la langue		**latérale**	/l/	celle	p. 166

Quelles sont vos difficultés ?

(464)

Test 1

p. 160

/m - n - ɲ/

Répétez.

1. lit – lime　　**2.** sait – sème　　**3.** pas – pâme　　**4.** Rhodes – Rome　　**5.** bru – brume

Retrouvez : cochez le mot que vous entendez.

1. lit	❏	lime	❏ …
2. sait	❏	sème	❏ …
3. pas	❏	panne	❏ …
4. Rhodes	❏	Rome	❏ …
5. bru	❏	brume	❏ …

Répétez.

	Voyelle orale	Voyelle orale + /m/	Voyelle orale + /n/	Voyelle orale + /ɲ/	Voyelle nasale
1	lit /i/ (voir p. 32)	lime	Line	ligne	lin /ɛ̃/ (voir p. 90)
2	sait /ɛ/ (voir p. 36)	sème	Seine	saigne	saint /ɛ̃/ (voir p. 90)
3	pas /a/ (voir p. 40)	pâme	panne	pagne	Pan /ɑ̃/ (voir p. 92)
4	Rhodes /ɔ/ (voir p. 42)	Rome	Garonne	Sologne	rond /õ/ (voir p. 96)
5	bru /y/ (voir p. 52)	brume	brune	bugne	brun /œ̃/ (voir p. 98)

(465)

Test 2

p. 162

/ʀ/

Répétez.

1. pis – pire　　**2.** colis – collyre　　**3.** coup – cours　　**4.** voix – voir　　**5.** bas – bar

6. On a su. – On assure.　　**7.** Il a trouvé. – Il a r(e)trouvé.　　**8.** Il est pris. – Il est r(e)pris.

Retrouvez : cochez le mot que vous entendez dans les phrases.

1. pis	❏	pire	❏	5. bas	❏	bar	❏
2. colis	❏	collyre	❏	6. su	❏	assure	❏
3. coup	❏	cours	❏	7. trouvé	❏	retrouvé	❏
4. voix	❏	voir	❏	8. pris	❏	repris	❏

(466)

Test 3

p. 166

/l/ - /ʀ/

Répétez.

1. longe – ronge　　**2.** lit – riz　　**3.** Il va l(e) sortir – Il va r(e)ssortir　　**4.** bal – bar

Retrouvez : cochez le mot que vous entendez dans les phrases.

1. longe	❏	ronge	❏	3. le sortir	❏	ressortir	❏
2. lit	❏	riz	❏	4. bal	❏	bar	❏

42

sème - Seine - saigne

$$/m/ - /n/ - /ɲ/$$

Le corbeau qui croasse et flaire la charo**gn**e
Fouette l'air lourde**m**ent, et de so**n** aile co**gn**e
Le front du jeu**n**e ho**mm**e éperdu.
Théophile Gautier (1811-1872), CIX.

/m/		– **vibration** des cordes vocales. – **consonne nasale** : l'air passe par la bouche et par le nez. – **les deux lèvres, fermées, s'ouvrent d'un seul coup.**
/n/		– **vibration** des cordes vocales. – **consonne nasale** : l'air passe par la bouche et par le nez. – **la pointe de la langue, contre les dents supérieures, se retire d'un seul coup.**
/ɲ/		– **vibration** des cordes vocales. – **consonne nasale** : l'air passe par la bouche et par le nez. – **le dos de la langue, contre le palais, se retire d'un seul coup.**

⚠ S'il y a consonne nasale, il n'y a pas voyelle nasale.

⚠ En position finale, les consonnes nasales doivent être prononcées **intégralement**, avec une légère explosion due à la détente des deux lèvres pour /m/, de la pointe de la langue pour /n/ et du dos de la langue pour /ɲ/.

/m/ s'écrit le plus souvent :	*– m mm*	*mettre emmêler*
/n/ s'écrit le plus souvent :	*– n nn* *– mn*	*notre année* *automne*
/ɲ/ s'écrit le plus souvent :	*– gn*	*signe*

⚠ Les mots en « -ing » empruntés à l'anglais (*listing, parking,* ...) ont tendance à se prononcer /i ŋ g/.

E X E R C I C E S

467 **1** Répétez.

/n(ə) m ə/ **1.** Ça n(e) me plaît pas, Madame **3.** Ça ne me va pas, Madame.

2. Ça ne me dit pas, Madame. **4.** Ça ne me gêne pas, Madame

468 **2** **Et demie !** Exemple : *A : Le texte ne fait que si(x) lignes ? B : Six li|gn(es) et d(e)mie.*

Dites bien l'enchaînement consonantique.

1. A : Le texte ne fait que di(x) lignes ! **B :** ....

2. A : Le texte ne fait que cinq lignes ! **B :** ....

3. A : Le texte ne fait que hui(t) lignes ! **B :** ....

469 **3** **J'aimerais bien...** Exemple : *A : On ne te craint pas. B : J'aim(e)rais bien qu'on m(e) craigne.*

Dites bien le /ɲ/ final du subjonctif.

1. A : On ne te joint pas. **B :** ....

2. A : On ne te plaint. **B :** ....

3. A : On ne te contraint pas. **B :** ....

470 **À vous !** **Je l'ignore !**

Exemple : *A : Elle est allemande ?* *B : J'ignore si elle vient d'Allemagne.*

1. A : Elle est espagnole ? **B :** ....

2. A : Elle est auvergnate ? **B :** ....

3. A : Elle est bretonne ? **B :** ....

4. A : Elle est champenoise ? **B :** ....

5. A : Elle est bourguignonne ? **B :** ....

6. A : Elle est solognote ? **B :** ....

471 **Écriture :** Trouvez le verbe correspondant au nom, puis dites les deux mots.

Exemple : *témoin : témoigner*

1. gain : .... **4.** loin : .... **7.** sang : ....

2. soin : .... **5.** poing : .... **8.** coin : ....

3. bain : .... **6.** dédain : ....

Lecture

Voici le ciel, les champs qui saignent.
Et les femmes qui se signent.

Jean Cocteau, « Angélus », *Vocabulaire.*

Son père était ivrogne, sa mère indigne, son frère au bagne.

Nino Ferrer, « Justine » (chanson).

43

par - paraît - parquet - prêt /ʀ/

Et la me**r** et l'amou**r** sont l'ame**r** pour pa**r**tage,
Et la me**r** est amè**r**e, et l'amou**r** est ame**r**,
L'on s'abyme en l'amou**r** aussi bien qu'en la me**r**,
Car la me**r** et l'amou**r** ne sont point sans o**r**age.

Pierre de Marbeuf (1596-1645).

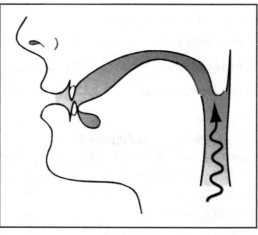

/ʀ/

– pointe de la langue immobile en bas.
– **consonne continue :** on entend l'air passer sur
   l'arrière relevé de la langue, et un bref battement de la luette.
– **vibration** des cordes vocales.

⚠ Il y a plusieurs types de « *r* » en français. Les explications de cette leçon concernent le /ʀ/ le plus
fréquemment entendu en France (dit « uvulaire »).

Vous pouvez aussi étudier la prononciation du /ʀ/ p.166 (*lit, riz*).

/ʀ/ s'écrit le plus souvent :	*r rr rh*	*riz terre rhume*

E X E R C I C E S ★

(472) **1** **Répétez.**

1. bonjour – **2.** bonsoir – **3.** plus tard – **4.** hier – **5.** d'accord – **6.** merci – **7.** au r(e)voir – **8.** en r(e)tard.

(473) **2** **Répétez. Faites bien les chutes du /ə/.**

1. J<u>e</u> les vois. – J(e) vais les voir. – J(e) vais les r(e)voir.

2. Je les cuis. – Je vais les cuire. – Je vais les recuire.

3. Je les fais. – Je vais les faire. – Je vais les refaire.

4. Je les vends. – Je vais les vendre. – Je vais les revendre.

(474) **3** **Particulièrement !** Exemple : *A : Le café est fort ? B : Particulièrement fort.*

Dites bien un seul groupe rythmique.

1. A : Ton sac est lourd ? **B :** ....

2. A : Le voisin est sourd ? **B :** ....

3. A : Le raisin est vert ? **B :** ....

(475) **À vous !** **Il est formidable !**

Exemple : *A : Tu connais cet artiste ? B : C'est un formida<u>bl(e) a</u>rtiste !*

1. A : Tu connais cet interprète ? **B :** ....

2. A : Tu connais cet organiste ? **B :** ....

3. A : Tu connais cet architecte ? **B :** ....

4. A : Tu connais cet urbaniste ? **B :** ....

(476) **4** **J'en suis sûre !** Exemple : *A : Paul a fini ? B : *J(e) suis sûre qu'il va finir.*

Dites bien deux groupes rythmiques.

1. A : Il a choisi ? **B :** ....

2. A : Il a rougi ? **B :** ....

3. A : Il a réfléchi ? **B :** ....

4. A : Il a guéri ? **B :** ....

Lecture

À Paris / Sur un cheval gris
À Nevers / Sur un cheval vert
À Issoire / Sur un cheval noir.

Max Jacob (1876 -1944), *Pour les enfants et pour les raffinés.*

Am stram gram / Pic et pic et colegram
Bour et bour et ratatam / Am stram gram pic dam. Comptine[1].

1. Cette comptine, dont les mots n'ont pas de sens, permet aux enfants de désigner un joueur au hasard.

EXERCICES ★★

477 **5** **Répétez. Faites bien la chute du /ə/ dans la séquence.**

/r də r(ə)/   **1.** Dis-leur de r(e)passer !   **3.** Dis-leur de r(e)venir !

2. Dis-leur de r(e)téléphoner!   **4.** Dis-leur de r(e)ssortir !

478 **6** **Répétez. Faites bien la chute du /ə/.**

1. Tu f(e)rais mon travail ?   **2.** Tu serais trop contente !   **3.** Tu devrais me remercier.

479 **7** **C'est dur !** Exemple : *A : Dis ce mot ! B : C'est **dur** d*e l*(e) **dire** !*

Dites bien les deux groupes rythmiques.

1. A : Fais ton devoir !   **B :** ....

2. A : Bois ce médicament !   **B :** ....

3. A : Crois ce que je dis !   **B :** ....

4. A : Mets d(e) l'ordre !   **B :** ....

480 **8** **Grâce à votre aide.** Exemple : *A : Vous avez réussi ? B : J'ai réu**ssi** grâc(e) à votre **aid**e.*

Dites bien les deux groupes rythmiques.

1. A : Vous avez trouvé ?   **B :** ....

2. A : Vous avez compris ?   **B :** ....

3. A : Vous avez traduit ?   **B :** ....

481 **À vous !**   **J(e) l'ai déjà fait.**

Exemple : *A : Retarde le réveil !*   *B : J(e) l'ai déjà r(e)tardé.*

1. A : Referme le placard !   **B :** ....

2. A : Reporte le rendez-vous !   **B :** ....

3. A : Regarde le programme !   **B :** ....

4. A : Recherche ce livre !   **B :** ....

Lecture

Les morts / C'est sous terre ;
Ça n'en sort / Guère.

> Jules Laforgue (1860-1887) *Complainte de l'oubli des morts.*

MAÎTRE DE PHILOSOPHIE. – Il n'y a pour s'exprimer que la prose ou les vers. [...] Tout ce qui n'est point prose est vers ; et tout ce qui n'est point vers est prose.

> Molière (1622-1673), *Le Bourgeois Gentilhomme* (Acte II, scène 4).

Tourterelle, oiseau de noblesse, / L'orage oublie qui le traverse.

> René Char (1907-1988), *Comme une présence.*

E X E R C I C E S ★★★

482 | **9** | **Répétez. Faites bien la chute du /ə/.**

1. Il a r(e)gardé son horaire.

2. Il a regardé leur horaire.

3. Il a regardé son salaire.

4. Il a regardé leur salaire.

483 | **10** | **Répétez les expressions. Dites bien les consonnes géminées.**

1. Par retour du courrier.

2. Sur rendez-vous.

3. Pour raisons de santé.

4. Pour rien.

484 | **11** | **Je l'espère !** Exemple : *A : César perd ? B : Pourvu qu'il perde !*

Dites bien le /R/ suivi de la consonne finale du subjonctif.

1. A : Tibère sert ?   **B :** ....

2. A : Gaspar dort ?   **B :** ....

3. A : Melchior part ?   **B :** ....

4. A : Balthazar sort ?   **B :** ....

485

À vous !   J'ai peur d'en avoir !

Exemple : *A : Tu as eu des r(e)mords ?   B : J'ai peur d'avoir des r(e)mords.*

1. A : Tu as eu des regrets ?   **B :** ....

2. A : Tu as eu des reproches ?   **B :** ....

3. A : Tu as eu des refus ?   **B :** ....

4. A : Tu as eu des remarques ?   **B :** ....

486

Écriture : Trouvez l'adjectif correspondant à l'adverbe, puis dites les deux mots.

Exemple : *dedans : intérieur*

1. dehors : ....

2. avant : ....

3. après : ....

4. au-dessus : ....

5. au-dessous : ....

6. derrière : ....

7. devant : ....

Lecture

Entre le *fracas* et le *fatras*, il y a peu de distance quant aux lettres et quant au sens.

Joseph Joubert (1754-1824), *Pensées.*

Je me plais à croire qu'il arriva un soir d'octobre ou de décembre, trempé de pluie ou les oreilles rougies dans le gel vif ; pour la première fois ses pieds frappèrent ce chemin que plus jamais ils ne frapperont.

Pierre Michon (1945-), *Vies minuscules.*

44 lit - riz

/l/ - /R/

Au tintement de l'eau dans les porphyres roux
Les rosiers de l'Iran mêlent leurs frais murmures
Et les ramiers rêveurs leurs roucoulements doux.

Leconte de Lisle (1818-1894), *Poèmes barbares.*

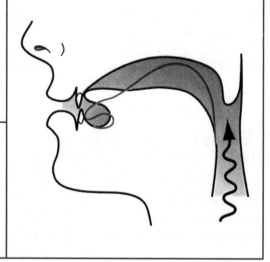

/l/

– **vibration** des cordes vocales.
– **consonne continue :** on entend l'air passer **sur les côtés de la langue.**
– **pointe de la langue immobile en haut**, en avant.

/R/

– **vibration** des cordes vocales.
– **consonne continue :** on entend l'air passer **sur l'arrière relevé de la langue,** et un bref battement de la luette.
– **pointe de la langue immobile en bas**.

 Il y a plusieurs types de « *r* » en français. Les explications de cette leçon concernent le /R/ le plus fréquemment entendu en France (dit « uvulaire »).

Vous pouvez aussi étudier la prononciation du /R/ p. 162 (*par, paraît...*)

/l/ s'écrit le plus souvent :	*l ll*	*lit belle*
/R/ s'écrit le plus souvent :	*r rr rh*	*riz terre rhume*

487 **1** **Répétez.**

/lǝl/ - /lǝʀ/

    1. Le lit – le riz.

    2. Le lit rouge. Le riz rouge.

    3. Le riz rond. – le riz long.

488 **2** **Répétez.**

/l ʀ/

    1. Il rêve ?   **3.** Il râle ?

    2. Il range ?   **4.** Il *rame ?

489 **À vous !** **Lesquelles ?**

Exemple : *A : Elle relit des traductions.*   *B : Elle r̲e̲lit lesquelles ?*

1. A : Elle réunit des informations.   **B :** ....

2. A : Elle recueille des renseignements.   **B :** ....

3. A : Elle rassemble des courriels.   **B :** ....

4. A : Elle recouvre des livres.   **B :** ....

490 **3** **Répétez. Faites bien les chutes du /ǝ/.**

1. On peut l(e) mettre. – On peut r(e)mettre.

2. On peut le prendre. – On peut reprendre.

3. On peut le descendre. – On peut redescendre.

491 **4** **Lundi.** Exemple : *A : Je le leur redis quand ? B : R̲e̲dis-l̲e̲ leur lundi.*

Dites bien la réponse en style courant.

1. A : Je le leur remets quand ?   **B :** ....

2. A : Je le leur répète quand ?   **B :** ....

3. A : Je le leur réclame quand ?   **B :** ....

Lecture

Toutes les langues roulent de l'or.

            Joseph Joubert (1754-1824), *Pensées.*

Le tonnelier tonnèle

Le bourrelier bourrèle

Le soleil interpelle

Frappe un bouclier d'or, ...

            Maurice Fombeurre, (1906-1981) *Un jour d'été.*

Les perles ne font pas le collier, c'est le fil.

            Gustave Flaubert (1821-1880).

Les semi-voyelles ou semi-consonnes

> Les **semi-voyelles** ou **semi-consonnes**
> – sont émises plus rapidement que les voyelles
>   (d'où leur nom de « semi-voyelles »),
> – ne laissent à l'air qu'un passage relativement étroit, proche du bruit
>   de frottement des consonnes constrictives
>   (d'où leur nom de « semi-consonnes »).

■ **En français,** il y a trois semi-voyelles ou semi-consonnes. Elles sont toujours accompagnées d'une voyelle.

Symbole phonétique		Exemple	Leçon
Voyelles	Semi-voyelles Semi-consonnes		
/y/	/ɥ/	*lui*	p. 170
/u/	/w/	*Louis*	
/i/	/j/	*lieu*	p. 174

■ **À l'initiale de syllabe ou après une consonne,** ces sons très brefs ne forment qu'une syllabe avec la voyelle qui les suit[1].

*h**u**it*   ***ou**i*   ***y**eux*
*l**u**i*   *L**ou**is*   *l**i**eu*

■ **À la fin d'un mot ou devant une consonne,** le yod /j/ ne forme qu'une syllabe avec la voyelle qui le précède.

*pare**il***   *pare**ill**ement*

---

1. Sauf, dans certains cas de diérèse dues à des variantes individuelles ou aux contraintes de la lecture poétique ; voir p.12.

Quelles sont vos difficultés ?

Test 1
p. 170
/w/ - /ɥ/

1. Retrouvez : cochez le mot que vous entendez.

1. loup	❏	Loire	❏	lard	❏
2. loup	❏	Loire	❏	lard	❏
3. loup	❏	Loire	❏	lard	❏

2. Retrouvez : cochez le mot que vous entendez.

1. nu	❏	nuit	❏	nid	❏
2. nu	❏	nuit	❏	nid	❏
3. nu	❏	nuit	❏	nid	❏

3. Répétez.

1. enfoui – enfui   **2.** mouette – muette   **3.** Louis – lui   **4.** bouée – buée

Retrouvez : cochez le mot que vous entendez dans les phrases.

1. enfoui	❏	enfui	❏
2. mouette	❏	muette	❏
3. Louis	❏	lui	❏
4. bouée	❏	buée	❏

Test 2
p. 174
/j/

1. Répétez.

1. roux – rouille   **2.** tas – taille   **3.** sommet – sommeil   **4.** gentil – gentille

Retrouvez : cochez le mot que vous entendez dans les phrases.

1. roux	❏	rouille	❏
2. tas	❏	taille	❏
3. sommet	❏	sommeil	❏
4. gentil	❏	gentille	❏

2. Répétez.

1. voulons – voulions   2. prenez – preniez

3. marchons – marchions   4. travaillez – travailliez

Retrouvez : cochez le temps que vous entendez dans les phrases.

1. présent	❏	imparfait	❏
2. présent	❏	imparfait	❏
3. présent	❏	imparfait	❏
4. présent	❏	imparfait	❏

Louis - lui

$$/w/ - /ɥ/$$

Monsieur Mir**oi**r marchand d'habits
est mort hier s**oi**r à Paris
Il fait n**ui**t
Il fait n**oi**r
Il fait n**ui**t n**oi**re à Paris.

Philippe Soupault (1897-1990), *Funèbre*.

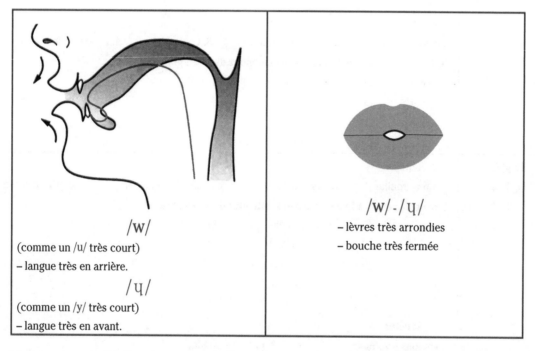

/w/

(comme un /u/ très court)
– langue très en arrière.

/ɥ/

(comme un /y/ très court)
– langue très en avant.

/w/ - /ɥ/
– lèvres très arrondies
– bouche très fermée

Vous pouvez étudier la prononciation du /u/ 46 (*faux, fou*), p. 56 (*roue, rue*) et p. 68 (*douzième, deuxième*).

Vous pouvez étudier la prononciation du /y/ p. 52 (*vie, vue*), p. 56 (*roue, rue*), p. 60 (*du, deux*), et p. 98 (*une, un*).

/w/ s'écrit le plus souvent :	– **ou** + voyelle prononcée dans la même syllabe orale	*oui mouette*
	– **o(i) o(in)**	*moi loin*
/ɥ/ s'écrit le plus souvent :	**u** + voyelle prononcée dans la même syllabe orale	*huit lui*

E X E R C I C E S ★

494 **1**   **Répétez.**

/y/ - /ɥi/ - /i/   **1.** pu – puis – pis   /u/ /wa/ /a/   **3.** roue – roi – rat

   2. su – suis – si   **4.** fou – fois – fa

495 **2**   **Répétez, puis transformez au style familier.**

/w/ - /ɥ/   Exemple : *Moi, je̲ suis pour.*   – *Moi, j(e) suis pour.*

1. Moi, je suis contre.   – Moi, ...

2. Moi, je suis contente.   – Moi, ...

3. Moi, je suis mécontente.   – Moi, ...

496 **3**   **Huit.** Exemple : *Il y a hui̲t̲ arbres.*   *Il y a hui(t) grands arbres.*   *Il y en a hui̲t̲.*
Répétez, puis transformez.

1. Il y a huit ours.   ....

2. Il y a huit oiseaux.   ....

497 **4**   **C'est bien lui ?** Exemple : *A : On doit voir Romain. B : C'est bien **lui** qu'on doit **voir** ?*
Dites bien les deux groupes rythmiques.

1. A : On doit croire Mathis.   **B :** ....

2. A : On doit apercevoir Guillaume.   **B :** ....

3. A : On doit recevoir Thomas.   **B :** ....

4. A : On doit revoir Mehdi.   **B :** ....

498   **À vous !**   **Pourquoi ?**

Exemple : *A : Je dois écrire à mon frère.*   *B : Pourquoi lui écrire ?*

1. A : Je dois mentir à ma sœur.   **B :** ....

2. A : Je dois téléphoner à ma mère.   **B :** ....

3. A : Je dois parler à mon père.   **B :** ....

Lecture

Nous étions dans le noir et tu parlais d'espoir.

Roger Gilbert-Lecomte (1907-1943), *Le Grand et le Petit Guignol.*

Si on me presse de dire pourquoi je l'aimais, je sens que cela ne se peut exprimer, qu'en répondant : «parce que c'était lui ; parce que c'était moi».

Michel de Montaigne (1533-1592), *Les Essais.*

E X E R C I C E S ★★

 499 | **5** | **Répétez, puis jouez le rôle A et le rôle B.**

/w/ - /ɥ/ | **1. A :** C'est pour Louis ? | **B :** C'est pour lui.
2. A : C'est chez Louis ? | **B :** C'est chez lui.
3. A : C'est à Louis ? | **B :** C'est à lui.
4. A : C'est avec Louis ? | **B :** C'est avec lui.

 500 | **6** | **Répétez.**

/w/ - /ɥ/ | **1.** Je crois qu'il fait nuit. | **3.** Je crois que c'est la pluie.
2. Je crois qu'il y a du bruit. | **4.** Je crois qu'il est minuit.

501 | **7** | **Trois fois !** Exemple : *A : Tu es déjà venu en France ? B : J'y suis venu trois fois.*
Dites bien l'intonation.

1. A : Tu es déjà passé à Paris ? | **B :** ....

2. A : Tu es déjà allé à Versailles ? | **B :** ....

3. A : Tu es déjà parti à la montagne ? | **B :** ....

4. A : Tu es déjà descendu sur la Côte ? | **B :** ....

502 | **8** | **Je dois le faire...** Exemple : *A : Tu vas le louer à Myriam ? B : Oui, je dois le lui louer.*
Dites bien la réponse en style courant.

1. A : Tu vas le jouer à Samuel ? | **B :** ....

2. A : Tu vas l'avouer à Olivier ? | **B :** ....

3. A : Tu vas le payer à Aya ? | **B :** ....

4. A : Tu vas le conseiller à Gabrielle ? | **B :** ....

---

 503 | **À vous !** | **Je suis d'accord !**

Exemple : *A : C'est aujourd'hui.* | *B : Je suis d'accord puisque c'est/t/ aujourd'hui.*

1. A : C'est en juillet. | **B :** ....

2. A : C'est à huit heures. | **B :** ....

3. A : C'est le hui(t) juin. | **B :** ....

Lecture

Ah ! l'automne est à moi,
Et moi je suis à lui,
Comme tout à «pourquoi ?»
Et ce monde à «et puis ?»

Jules Laforgue (1860-1887), « Le brave, brave automne ».

---

504 **9** Répétez les questions en style courant.

7 syllabes   **1.** Tu a(s) eu froid, toi aussi ?...

8 syllabes   **2.** Tu as eu de la pluie, toi aussi ?...

9 syllabes   **3.** Tu as repris un fruit, toi aussi ? ....

10 syllabes   **4.** Tu as entendu un bruit, toi aussi ?.......................................

505 **10** **Si, tu dois...** Exemple : *A : Alors, je ne constitue pas les dossiers ? B :* **Si,** *tu dois les constituer.*

Dites bien les deux groupes rythmiques.

1. A : Alors, je ne continue pas les expériences ?   **B :** ....

2. A : Alors, je ne distribue pas les produits ?   **B :** ....

3. A : Alors, je ne diminue pas les doses ?   **B :** ....

4. A : Alors, je n'évalue pas les résultats ?   **B :** ....

5. A : Alors, je n'effectue pas les manipulations ?   **B :** ....

506 **11** **Louis.** Exemple : *A : Qui conduira la voiture? B : Louis. Il faudrait qu'il puisse la conduire.*

Dites bien l'intonation.

1. A : Qui construira la maison ?   **B :** ....

2. A : Qui détruira la cabane ?   **B :** ....

3. A : Qui traduira la chanson ?   **B :** ....

4. A : Qui produira l'émission?   **B :** ....

507 **À vous !**   **Tout de suite ?**
Exemple : *A : Entrez !*   *B : Puis-j(e) entrer tout d(e) suite ?*

1. A : Avancez !   **B :** ....

2. A : Expliquez !   **B :** ....

3. A : Appuyez !   **B :** ....

4. A : Approchez !   **B :** ....

Lecture

Tout m'afflige et me nuit et conspire à me nuire.
Jean Racine (1639-1699), *Phèdre* (Acte I, scène 3).

J'étais insoucieux de tous les équipages, [...]
Dans les clapotements furieux des marées, [...]
J'ai rêvé la nuit verte aux neiges éblouies, [...]
La circulation des sèves inouïes,
Arthur Rimbaud (1854-1891), « Le bateau ivre ».

⚠ Pour respecter le rythme de ces alexandrins (vers de 12 syllabes), les syllabes soulignées doivent être prononcées avec une diérèse (voir p. 12?)

46   bas - bail - bailler   /j/

Les sole**il**s mou**ill**és
De ces c**i**els brou**ill**és
Pour mon esprit ont les charmes
Si mystér**i**eux
De ses traîtres **y**eux
Br**ill**ant à travers leurs larmes.

Charles Baudelaire (1821-1867), « L'invitation au voyage », Les Fleurs du Mal.

/j/	
– comme un /i/ très court – langue très en avant, – dos de la langue relevé.	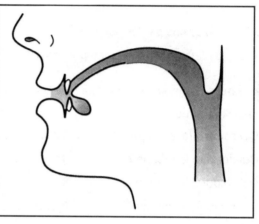

Vous pouvez aussi étudier la prononciation du /i/ p. 32 (*prix, pré*), p. 34 (*il, elle*) et p. 52 (*vie, vue*).

⚠ En position finale, le /j/ doit être prononcé **intégralement**, avec une légère explosion, due à la détente du dos de la langue.

/j/ s'écrit le plus souvent :	– quand /j/ est une semi-voyelle :	– *i* + voyelle prononcée dans la même syllabe orale – *y* + voyelle prononcée dans la même syllabe orale	*ciel* *yeux*
	– quand /j/ est une consonne :	– voyelle + *il* final – voyelle + *ill* + voyelle – 2 consonnes + *i* + voyelle – consonne(s) + *ill* + voyelle ⚠ – voyelle + *y* + voyelle	*travail* *travaille* *crier* *bille brille* *payer*

⚠ Exceptions : consonne(s) + *ill* + voyelle dans « *ville, mille, tranquille,* ... » se prononce /il/.

E X E R C I C E S ★

(508) **1** **Répétez. Dites bien la voyelle précédant le /j/.**

/ij/ **1.** Il brille. – Il brillait.

/aj/ **2.** Il travaille. – Il travaillait.

/œj/ **3.** Il cueille. – Il cueillait

/uj/ **4.** Ça mouille. – Ça mouillait.

(509) **2** **Répétez : présent – imparfait. Dites bien le même nombre de syllabes.**

1. Vous dormez. – Vous dormiez.

2. Vous rêvez. – Vous rêviez.

3. Vous vous couchez. – Vous vous couchiez.

4. Vous vous levez. – Vous vous leviez.

(510) **3** **Une seule.** Exemple : *A : Il y a combien d(e) bouteilles ? B : Il y a une seule bouteille.*

Dites bien l'enchaînement vocalique.

1. A : Il y a combien de corbeilles ?   **B :** ....

2. A : Il y a combien de feuilles ?   **B :** ....

3. A : Il y a combien de pailles ?   **B :** ....

(511) **4** **Elle est bien vieille !** Exemple : *A : Quelle histoire ! B : C'est une vieille histoire...*

Dites bien l'enchaînement consonantique.

1. A : Quelle affaire !   **B :** ....

2. A : Quelle idée !   **B :** ....

3. A : Quelle anecdote !   **B :** ....

(512) **À vous !**   **Ils tombent tous de sommeil.**

Exemple : *A : Daniel est fatigué ?* *B : Oui, Daniel a sommeil.*

1. A : *Juliette en a marre ?   **B :** ....

2. A : Marianne n'en peut plus ?   **B :** ....

3. A : *Martial est crevé ?   **B :** ....

4. A : Nayah en a assez ?   **B :** ....

5. A : Mathieu veut dormir ?   **B :** ....

6. A : *Sébastien est °H.S. ?   **B :** ....

Lecture

Juillet ensoleillé
Remplit caves et greniers.

                    Proverbe.

E X E R C I C E S ★★

(513) **5** **Répétez.**

/j/ - /ɛj/   **1.** Aïe, j'ai mal à l'orteil !   /j/ - /ij/   **3.** Aïe, j'ai mal à la cheville !

/j/ - /ɛj/   **2.** Aïe, j'ai mal à l'oreille !   /j/ - /œj/   **4.** Aïe, j'ai mal à l'œil !

(514) **6** **Répétez, puis transformez à l'imparfait, au futur et au conditionnel.**

Exemple : *Nous les mettons.*   – *Nous les mettions.*   – *Nous les mettrons.*   – *Nous les mettrions.*

1. Nous les rendons.   – ....

2. Nous les descendons.   – ....

3. Nous les battons.   – ....

(515) **7** **Non, c'est nous.** Exemple : *A : Je paie l'addition ? B : C'est **nous** qui la pa**yons**.*

Dites bien les deux groupes rythmiques.

1. A : Je vois la gardienne ?   **B :** ....

2. A : Je balaie la cuisine ?   **B :** ....

3. A : Je nettoie la chambre ?   **B :** ....

4. A : Je renvoie la facture ?   **B :** ....

(516) **8** **Il n'y en a plus !** Exemple : *A : Avez-vous encore des lentilles ? B : *Ben non, y'a p(l)us d(e) lentilles.*

Dites bien la réponse en style familier.

1. A : Avez-vous encore des volailles ?   **B :** ....

2. A : Avez-vous encore des groseilles ?   **B :** ....

3. A : Avez-vous encore de la vanille ?   **B :** ....

4. A : Avez-vous encore des myrtilles ?   **B :** ....

(517) **À vous !** **La veille !**

Exemple : *A : Je serai revenu à Noël.*   *B : Soyez revenu la veille !*

1. A : Je serai de retour le 25 décembre.   **B :** ....

2. A : Je serai ici le 1er janvier.   **B :** ....

3. A : Je serai *là le 1er mai.   **B :** ....

4. A : Je serai là-bas le 14 juillet   **B :** ....

Lecture

Venise pour le bal s'habille   Scintille, fourmille et babille
De paillettes tout étoilé,   Le carnaval bariolé.

        Théophile Gautier (1811-1872), *Émaux et Camées.*

Reste à définir le seuil.
Un jour ensoleillé, peut-être ?

        Edmond Jabès (1912-1991), *Elya.*

EXERCICES ★★★

518 **9** **Répétez l'indicatif, puis transformez au subjonctif. Dites bien le /j/.**

Exemple : *Il va mieux.* – *Pourvu qu'il aille mieux !*..

1. Il s'en va bientôt. – Pourvu que… ....

2. Il veut bien. – Pourvu que…..

3. Il ne lui faut plus rien. – Pourvu que…..

4. Vous n'êtes pas sérieux… – Pourvu que…..

5. Vous n'avez pas de question ? – Pourvu que…...

519 **10** **Répétez : présent – imparfait. Dites bien les consonnes géminées.**

/j/ - /jj/   **1.** Vous y ve**ill**ez. – Vous y ve**illi**ez.   **3.** Vous y fuyez. – Vous y fuyiez.

              2. Vous y fouillez. – Vous y fouilliez.   **4.** Vous y croyez. – Vous y croyiez.

520 **11** **Qu'il y aille donc !** Exemple : *A : Il hésite à partir à Lyon. B : Mais qu'il|y a|ille donc, à Lyon !*

Dites bien l'enchaînement consonantique avec le /j/.

1. A : Il hésite à déménager à Niort. **B :** ....

2. A : Il hésite à s'installer à Dieppe. **B :** ....

3. A : Il hésite à se retirer à Liège. **B :** ....

---

521 ## À vous !   Ce serait bien !

Exemple : *A : Vous croyez que je peux tutoyer Yann ?*   *B : Ce s(e)rait bien que vous l(e) tutoyiez.*

1. A : Vous croyez que je peux payer Yoan ?   **B :** ....

2. A : Vous croyez que je peux surveiller Youssef ?   **B :** ....

3. A : Vous croyez que je peux renvoyer Yannick ?   **B :** ....

---

522 ## Écriture : Trouvez le nom en « *-age* » correspondant au verbe, **puis dites les deux mots.**

Exemple : *mouiller : le mouillage*

1. trier : ....   **5.** habiller : ....   **9.** aiguiller : ....

2. gaspiller : ....   **6.** balayer : ....   **10.** outiller : ....

3. déblayer : ....   **7.** embrayer : ....   **11.** essayer : ....

4. nettoyer : ....   **8.** bafouiller : ....   **12.** brouiller : ....

Lecture

Il n'est pas de Samedi / Qui n'ait soleil à midi ;
femme ou fille soleillant / Qui n'ait midi sans amant !...

Tristan Corbière (1845-1875), « *Soneto a Napoli* », *Les Amours jaunes.*

Entr'ouverts cercueils ornés de fleurs mouillées / Une lampe y demeure et veille mes noyés.

Jean Genet (1910-1986), *Marche funèbre, XI.*

V – ACTIVITÉS COMMUNICATIVES

 **1** La fiche d'Agnès

Regardez cette fiche de candidature, posez les questions, puis complétez les réponses.

> **Fiche de candidature**
>
> *Prénom Nom* : Agnès HAMON
> *Naissance* : 15 juin 1982, 92 600 Asnières
> *Adresse* : 3 Rue Émile Zola, 37 530 Amboise
> *Études* : Lycée d'Amiens
> *Diplôme* : Master II d'économie, Le Havre

1. A : La prochaine candidate, c'est Annie Issoire ? **B** : Non, c'est ....

2. A : Quel est son lieu de naissance ? **B** : Elle est née à ...., dans le ....

3. A : Elle est née en 92 ? **B** : Non, elle est née en ....

4. A : Elle habite à Angers ? **B** : Non, elle habite à ....

5. A : Quelle est son adresse exacte ? **B** : ....

6. A : Où a-t-elle étudié ? **B** : Elle a étudié à ...., puis ....

7. A : Quelle est sa spécialité ? **B** : Elle est spécialisée en ....

8. A : Quels sont ses diplômes ? **B** : Elle a ....

2 Composez une fiche sur le modèle de celle d'Agnès, puis jouez le rôle A et le rôle B.

 3 Le calendrier. Regardez et répondez aux questions.

Lundi	Mardi	Mercredi	Jeudi	Vendredi	Samedi	Dimanche
	1	2	3	4	5	6
7	8	9	10	11	12	13
14	15	16	17	18	19	20
21	22	23	24	25	26	27
28	29					

À vous !

Exemple : *A : Quel jour est le premier ?*   *B : Le premier est un mardi.*

1. A : Quel jour est le six ?   **B :** ....

2. A : Quel jour est le dix ?   **B :** ....

3. A : Quel jour est le treize ?   **B :** ....

4. A : Quel jour est le seize ?   **B :** ....

5. A : Quel est ce mois ?   **B :** ....

6. A : Comment s'appelle ce mois de 29 jours ?   **B :** ....

7. A : Je travaille du 7 au 13 ; ça fait combien de jours ?   **B :** ....

4 Jouez le rôle A et le rôle B. Imaginez d'autres questions.

5 Elle et lui !

Exemple : *A : Ton père et ta mère partent le matin?*   *B : Elle, elle part et lui, il ne part pas.*

1. Ton père et ta mère travaillent ?   **B :** ....

2. Ton père et ta mère rentrent ?   **B :** ....

3. Ton père et ta mère dînent ?   **B :** ....

4. Ton père et ta mère se couchent ?   **B :** ....

6 Mots cachés

Trouvez les mots correspondant aux définitions, lisez-les, puis utilisez-les dans une phrase qui comporte le plus de « a » possible. Dites vos phrases.

Exemple : *Horizontalement XII. Fruit exotique = BANANE*   *Ma banane arrive de Martinique.*

	1	2	3	4	5	6	7	8	9	10	11	12	13	14	15	16
I																
II																
III																
IV																
V																
VI																
VII																
VIII																
IX																
X																
XI																
XII								B	A	N	A	N	E				

Verticalement.
9. Fondamentale pour bien parler le français.

Horizontalement.
II. Partie de maison servant d'habitation.
IV. Ne l'oubliez pas s'il pleut !
V. Copain.
VI. L'ensemble des œuvres littéraires.
VIII. Enlever les verres, les couverts et les assiettes.
VIII. Revue illustrée.
XII. Fruit exotique.

Activités communicatives

526 **7** **Le contraire.** Exemple : *A : Mattéo est doux. B : Doux ? Au contraire, il est violent.*

Cherchez le contraire des adjectifs, puis dites les phrases.

1. A : Timéo est fou.   **B :** ....

2. A : Hugo est mou.   **B :** ....

3. A : Malo est roux.   **B :** ....

4. A : Roméo est lourd.   **B :** ....

5. A : Diego est saoul.   **B :** ....

8 **Jouez le rôle A et le rôle B.**

Les voyelles orales complexes

527 **9** **Plein de voyelles…** Exemple : *Elle habite en dessous.*

Cochez le son que vous entendez dans les phrases suivantes.

	Exemple	1	2	3	4	5	6
J'entends /i/							
J'entends /y/							
J'entends /u/	X						
J'entends /o/							
J'entends /Œ/							

528 **10** **« Tout » ou « tu » ?** Exemple : *A : Tu t'es changée ici ? tout ☐   tu ☒   B : Tout est changé ici ?*

Choisissez, répétez, puis dites la phrase que vous n'avez pas entendue.

1. A : … présenté aujourd'hui ?   tout ☐   tu ☐   **B :** ....

2. A : … préparé à la maison ?   tout ☐   tu ☐   **B :** ....

3. A : … brûlée à quel endroit ?   tout ☐   tu ☐   **B :** ....

529 **11** **Dis-nous donc où tu habites !**

Exemple : *Toulouse / Lille*   *Tu habites à Toulouse ou à Lille ?*

1. Boulogne / Nancy.   ....

2. Namur / Strasbourg.   ....

3. Saumur / Paris.   ....

4. Tulle / Tours.   ....

530 **12** ## Quel gourmand…

Exemple : *A : Et pour vous, une cuisse de poulet ?*   *B : Une cuisse ? Oh non, deux s'il vous plaît.*

1. A : Prendrez-vous une assiette de fromage ?   **B :** ....

2. A : Voulez-vous une part de gâteau ?   **B :** ....

3. A : Et pour vous, une tasse de café ?   **B :** ....

4. A : Pourquoi pas une coupe de champagne ?   **B :** ....

531 **13** ## Des euros… Dites les phrases, puis écoutez l'enregistrement.

1. Il y a un gâteau à 2 €.   ....

2. Il lui faut 22 €.   ....

3. Ces chaussures sont à 102 €.   ....

4. Ce vélo vaut 200 €.   ....

5. Il veut 2 000 €.   ....

14 Imaginez une question dont ces phrases soient la réponse.

532 **15** ## C'est malheureux ! Répétez ce dialogue.

1. A : J'ai perdu mon stylo bleu.   **2. B :** Ton vieux stylo ?

3. A : Non, le nouveau qui est si beau.   **4. B :** Oh ! C'est ennuyeux !

5. B : Tu dois être malheureux !

16 Jouez ce dialogue avec un autre apprenant.

533 **17** ## Mon train Écoutez ce message de la SNCF, puis répondez aux questions.

Le train n° 102 pour Bourges partira à 12 heures 02.

1. A : À quelle heure partira le prochain train ?   **B :** ....

2. A : Quel est le numéro du train ?   **B :** ....

3. A : Quelle est la destination du train ?   **B :** ....

18 Jouez le rôle A et le rôle B. Imaginez d'autres questions.

534 **19** ## Ce soir et demain

Exemple : *A : Tu vois tes copains ?*   *B : Mes copains ? Ce soir et demain.*

1. A : Tu prends l'apéro ?   **B :** ....

2. A : Tu dînes au resto ?   **B :** ....

3. A : Tu sors en boîte ?   **B :** ....

Activités communicatives

20 Jouez ce dialogue entre apprenants.

21 **Tu rêves de visiter quel pays ?** Répétez.

Exemple : A : Le Chili ou le Mexique ?   *B : Les deux : le Chili et le Mexique.*

1. A : La Thaïlande ou la Corée ?   **B :** ....

2. A : La Tunisie ou le Maroc ?   **B :** ....

3. A : Le Luxembourg ou la Belgique ?   **B :** ....

22 Sur le même modèle, dites quels pays vous rêvez de visiter.

23 **Déjeuner du matin.** Répétez ce poème.

1. Il a mis le café / Dans la tasse
2. Il a mis le lait / Dans la tasse de café
3. Il a mis le sucre / Dans le café au lait
4. Avec la petite cuiller / Il a tourné
5. Il a bu le café au lait
6. Et il a reposé la tasse / Sans me parler
7. Il a allumé / Une cigarette
8. Il a fait des ronds / Avec la fumée
9. Il a mis les cendres / Dans le cendrier
10. Sans me parler / Sans me regarder
11. Il s'est levé
12. Il a mis / Son chapeau sur sa tête
13. Il a mis son manteau de pluie / Parce qu'il pleuvait
14. Et il est parti / Sous la pluie
15. Sans une parole / Sans me regarder
16. Et moi j'ai pris / Ma tête dans ma main
17. Et j'ai pleuré.

Jacques Prévert (1900-1977), *Paroles*
(chanté par Marlène Dietrich).

24 Jouez entre apprenants : l'un dit ce texte et l'autre le mime.

Les voyelles nasales

25 **Oral ou nasal ?** Entendez-vous une voyelle orale ou une voyelle nasale dans les phrases suivantes ?

Exemple : La corbeille est pleine.

Répétez les phrases.

	Exemple	1	2	3	4	5	6	7	8	9	10
Orale (pas nasale)	X										
Nasale											

26 **La parité !**

Exemple : A : Le théâtre cherche un comédien ?   *B : Un comédien et une comédienne.*

1. A : L'orchestre cherche un musicien ?   **B :** ....

2. A : Le laboratoire cherche un pharmacien ?   **B :** ....

3. A : L'usine cherche un technicien ?   **B :** ....

4. A : Le service cherche un informaticien ?   **B :** ....

27 Tes cousins.

Exemple : *A : Ils sont indiscrets, tes cousins?*   *B : Ils deviennent indiscrets.*

1. A : Ils sont impolis ?   **B :** ....

2. A : Ils sont intraitables ?   **B :** ....

3. A : Ils sont inflexibles ?   **B :** ....

28 Évidemment !

Exemple : *A : Elle a un accent ?*   *B : Évidemment, *elle en a pas, d'accent !*

1. A : Elle a des absences ?   **B :** ....

2. A : Elle a une amende ?   **B :** ....

3. A : Elle a un appartement ?   **B :** ....

4. A : Elle a un argument ?   **B :** ....

29 Tu te trompes.

Exemple : *A : *T(u) as un frère ?*   *B : Non, mais j'ai une sœur.*

1. A : Ils ont un fils ?   **B :** ....

2. A : Tu as un cousin ?   **B :** ....

3. A : Elle a un neveu ?   **B :** ....

4. A : C'est un garçon ?   **B :** ....

30 Restez zen ! Répétez le dialogue.

1. A : Le train arrive bientôt ?   **2. B :** Non, il est en retard.

3. A : Encore !   **4. B :** C'est comme ça tous les matins …

5. A : *J(e) suis très mécontente.   **6. B :** Comme plein de gens !

7. A : *J'en ai vraiment marre des transports en commun…   **8. B :** Allons … Un peu de patience !

31 Jouez ce dialogue avec un autre apprenant.

32 Inimaginable !

Exemple : *A : Ils l'ont vendu ?*   *B : *T(u) imagines, c'est absolument invendable !*

Trouvez l'adjectif correspondant au verbe.

1. A : On l'a transporté ?   **B :** ....

2. A : Tu l'as mangé?   **B :** ....

3. A : Tu y avais pensé ?   **B :** ....

4. A : On peut s'en dispenser ?   **B :** ....

Activités communicatives

544 | **33** | **C'est *marrant !**

Exemple : *A : Mes copains sont australiens.*　　　*B : C'est *marrant ! Mes copines sont australiennes !*

1. A : Mes voisins sont américains.　　　**B :** ....

2. A : Mes cousins sont italiens.　　　**B :** ....

Les consonnes occlusives

545 | **34** | **Cadeau ou gâteau ?** Cochez le mot que vous entendez dans les phrases suivantes.

Exemple : *Quel beau cadeau !*

	Exemple	1	2	3	4	5	6
cadeau	X						
gâteau							

546 | **35** | **Liste de courses**

> **À ACHETER**
>
> *Un pack de bière*
> **1.** 2 baguettes de campagne　　　**4.** poivre blanc
> **2.** 3 paquets de pâtes　　　**5.** 2 boîtes de thon
> **3.** collants, bas　　　**6.** glace au café

En utilisant cette liste de courses, complétez la phrase suivante.

Exemple : *S'il te plaît, rapporte-moi un pack de bière*

1. S'il te plaît, rapporte-moi ....　　**4.** S'il te plaît, rapporte-moi..

2. S'il te plaît, rapporte-moi ....　　**5.** S'il te plaît, rapporte-moi..

3. S'il te plaît, rapporte-moi ....　　**6.** S'il te plaît, rapporte-moi..

36 | **Sur le même modèle, faites des listes de choses à faire. Jouez ces dialogues.**

547 | **37** | **Continuez l'histoire du Petit Chaperon Rouge, inspirée du conte de Charles Perrault (1628-1703).**

Il était une fois une petite fille habillée d'une petite cape rouge qui apporte à sa grand-mère des cadeaux : une galette, un petit pot de beurre ....

....

....

38 | **Lisez l'histoire du Petit Chaperon Rouge que vous avez écrite et jouez-la avec un autre apprenant.**

Les consonnes constrictives

(548) **39** « Ils sont » ou « Ils ont » ?

Entendez-vous /z/ « ils /z/ ont » ou /s/ « ils sont » dans les phrases suivantes ?

Exemple : *Ils sont oubliés.*

	Exemple	1	2	3	4	5	6	7	8	9	10
/z/ « ils /z/ ont »											
/s/ « ils sont »	X										

40 Répétez les phrases.

(549) **41** Que des euros !

Exemple : *A : Élise en a deux.* *B : Elle a seulement deux euros, Élise ?*

1. A : Suzanne en demande dix.   **B :** ....

2. A : Denise en prend six.   **B :** ....

3. A : Élisabeth en donne seize.   **B :** ....

4. A : Louise en voudrait treize.   **B :** ....

(550) **42** Pas vu, pas bu !

Exemple : *A : Tu les as vus ?* *B : Je ne les ai jamais vus.*

1. A : Tu les as bus ?   **B :** ....

2. A : Tu les as faits ?   **B :** ....

3. A : Tu les as pris ?   **B :** ....

4. A : Tu les as punis ?   **B :** ....

5. A : Tu les as fait frire ?   **B :** ....

6. A : Tu les as finis ?   **B :** ....

(551) **43** *Il est pas frais, mon poisson[1] ?

Exemple : *A : Comment ? *C'est pas frais ?* *B : Parfaitement, *c'est pas frais !*

1. A : Comment ? *C'est pas prêt ?   **B :** ....

2. A : Comment ? *C'est pas fini ?   **B :** ....

3. A : Comment ? *C'est pas fait ?   **B :** ....

4. A : Comment ? *C'est pas frit ?   **B :** ....

5. A : Comment ? *C'est pas pris ?   **B :** ....

---

1. Albert Uderzo (1927-) et René Goscinni (1926-1977), *Le Devin.*

Les consonnes sonantes

552 **44** **La bise ou la brise ?** Entendez-vous le son /R/ ou pas dans les phrases suivantes ?

Exemple : *Je sens la brise...*

	Exemple	1	2	3	4	5	6
J'entends /R/	X						
Je n'entends pas /R/							

553 **45** **Il est extraordinaire !**

Exemple : *A : Ce que Cédric chante bien ....*   *B : Oh oui ! C'est un chanteur extraordinaire !*

1. A : Et tu as vu Amir danser ?   B : ....

2. A : Quant à Romain ... Il nage...   B : ....

3. A : Tu as vu le jeu de Rafaël ?   B : ....

4. A : Et Jérémy, il patine *super bien !   B : ....

554 **46** **N'oublie pas d'être poli !**

Exemple : *A : Bonjour.*   *B : N'oublie pas d(e) dire bonjour à mon père !*

1. A : Bonsoir...   B : ....

2. A : Merci !   B : ....

3. A : Au revoir.   B : ....

555 **47** **Elle est très sérieuse !**

Exemple : *A : Elle fait les exercices ?*   *B : Elle les fait et les refait.*

1. A : Elle lit les rédactions ?   B : ....

2. A : Elle calcule les opérations ?   B : ....

3. A : Elle corrige les erreurs ?   B : ....

4. A : Elle travaille ses exposés ?   B : ....

5. A : Elle classe ses papiers ?   B : ....

Les semi-voyelles ou semi-consonnes

48 C'est un fruit ou pas ?

Exemple : *A : La pomme ?*   *B : C'est un fruit.*

1. A : La poire ?   B : ....

2. A : La pomme de terre ?   B : ....

3. A : La carotte ?   B : ....

4. A : La fraise ?   B : ....

5. A : La prune ?   B : ....

6. A : La salade ?   B : ....

49 La région de la Loire. **Répétez ce dialogue.**

1. A : Vous connaissez la région de la Loire ?

2. B : Ah, oui ! Nous aimons voir les châteaux,

3. B : et les maisons basses

4. B : aux toits d'ardoise noire.

5. B : Nous avons visité Blois hier

6. B : et Amboise aujourd'hui.

50 Jouez ce dialogue avec un autre apprenant.

51 La rue du 18 juin, à Villejuif

Liste des habitants

Nom	Prénom	Date de naissance	Adresse
DUPUIS	Gabriel	15 mai 1927	18, rue du 18 juin
DUPUIS	Louise	28 juin 1938	18, rue du 18 juin
MAUDUIT	Moïse	18 juillet 1918	38, rue du 18 juin
PUISANT	Yolande	7 février 1976	28, rue du 18 juin
PUISANT	Maya	8 juillet 1998	28, rue du 18 juin
THUILLIER	Louis	20 octobre 1967	8, rue du 18 juin
THUILLIER	Abdoulaye	28 juin 1998	8, rue du 18 juin

Regardez la liste des habitants de la rue du 18 juin et répondez aux questions.

A : Qui est le père d'Abdoulaye ?   B : ....

A : Qui aura bientôt cent ans ?   B : ....

A : Quelle est sa date de naissance exacte ?   B : ....

A : Qui est la fille de Yolande ?   B : ....

A : Quelle est leur adresse ?   B : ....

A : Qui est la femme de Gabriel ?   B : ....

A : Où habitent-ils exactement ?   B : ....

52 Imaginez d'autres questions et jouez le rôle A, puis le rôle B.

Lexique

A

*AG = Assemblée Générale
Abuser = tromper
Aïe ! : exprime la douleur
air (avoir l') = sembler
Allez ! = d'accord

B

balader (se) = se promener
beaujolais = vin produit dans la région du Beaujolais.
*bec (tomber sur un) = rencontrer une difficulté
*ben (Eh)! = Eh bien !
*berzingue = vitesse
bien (+adj. ou adv.) = beaucoup, très
bien (Eh)! : interjection marquant une hésitation
bien = vraiment
blague (pas de) = sois prudent, sois sérieux.
blague = plaisanterie
bleu (boeuf) = morceau de viande très peu cuite
bleu (du) = sorte de fromage
bleue (fleur) = romantique
bleue (heure) = juste avant le lever du soleil
bleue (peur) = grande peur
bluffeur = personne qui tente de faire illusion
BNP = Banque Nationale de Paris (l'une des grandes
    banques françaises)
Bof ... : exprime le découragement
*bol (pas de) = chance
Bon ! : marque la satisfaction
bon (Ah,)! : marque la surprise
bon (c'est) = ça va
bordeaux = vin produit dans la région de Bordeaux
*bosser = travailler
*boulot = travail
bourgogne = vin produit dans la région Bourgogne
branché = à la mode
brevet = diplôme

C

ça (c'est) = exactement
ça (pas tant que) = pas beaucoup
causer = parler
CD = disque compact
cédérom = CDRom
chantilly = crème fraîche fouettée
chiner = chercher des occasions
code : permet l'accès à un immeuble
*comment (et ...) : exprime l'approbation
comment ? : exprime l'étonnement
composter = valider un titre de transport dans une ma-
    chine.

*con = stupide
cordes (tomber des...) = pleuvoir très fort
coup (sous le coup de) = sous la menace de
coup (sur le coup de) = immédiatement
courrier (par retour du) = immédiatement
cru = production de vin
C.V. = Curriculum Vitae, descriptif de l'histoire profession-
    nelle

D

*débloquer = dire des bêtises
décorer = remettre une décoration (la Légion d'Honneur,
    par exemple).
deuxième (au) = au deuxième étage
deuxième (dans le) = dans le deuxième arrondissement
*dingue = bizarre, fou
diriger = diriger un orchestre
Disons que... = Admettons que
dire (Ça ne me dit pas) = Je n'ai pas envie
*draguer = tenter de séduire
* drôlement = très
DVD = Disque Vidéo Digital

E

EDF = Électricité de France (responsable de la distribution
    de l'électricité)
*enquiquiner= ennuyer
être d'un ou d'une... = être très

F

faire (+ adjectif) = paraître
fait (*en) = en réalité
feu (coup de) = intense activité
fil à la patte (*avoir un) = être tenu par un engagement
    embarrassant
Flûte ! : exprime l'impatience, la déception
flûte (une) = petite baguette de pain
foi (Ma) = certes, en effet
foncer = aller très vite
fort(être fort en) = bon, savant
foudre (coup de) = passion soudaine
*froussard = peureux

G

*génial = remarquable
grand'place = place principale d'une ville
Grande Armée = armée de Napoléon 1er

H

hein ? = comment ? (peut exprimer la surprise ou l'incompréhension)
H.S. (Hors Service) = très fatigué
*hyper- = très

K

*kiné : abréviation pour « kinésithérapeute »

L

*là = ici
là-bas = plus loin qu'ici
lâcher (quelqu'un) = abandonner
le (+ nombre) : indique une date
lieu = poisson d'Europe

M

Marignan = ville d'Italie, lieu d'une célèbre victoire de François Ier.
*marrant = drôle
*mec (mot d'argot devenu familier) = homme
météo = météorologie (service qui s'occupe de prévoir le temps)
moelleux = gâteau au chocolat au cœur peu cuit et coulant

N

*nul = sans valeur

O

ouille : expression de douleur, de surprise ou de mécontentement.

P

parler (*Tu parles !) = Tu plaisantes !
P.D.G. = Président Directeur Général
penser(*Tu penses !) = bien sûr
peu (sous) = bientôt
Pff : exprime le mépris
*plein de... = beaucoup de
poser = rester immobile
pot-au-feu = viande de bœuf cuite longtemps avec des légumes
pourvu que : exprime un souhait
*pub = publicité

Q

quand même = cependant, pourtant

R

rabâcher = répéter continuellement
raide (*tomber) = être très surpris
rap = paroles récitées sur fond musical très rythmé.
RATP = Régie Autonome des Transports Parisiens (responsable de la circulation des bus et des métros)
repêcher = sauver
*restau ou **resto* = restaurant
rêver (Tu rêves !) = Tu plaisantes !

S

santé (pour raisons de) = parce qu'on est malade
savoir (Tu sais !) = n'est-ce-pas !
seul (un) = seulement un
si = oui (en réponse à une phrase négative)
SNCF = Société Nationale des Chemins de Fers (responsable de la circulation des trains)
*spéléo = spéléologie
je suis = ici, présent du verbe *suivre*.

T

tas (des tas de) = beaucoup de
tiens ! : exprime la surprise
tirer = reproduire par impression
TGV = Train à grande vitesse
tout à fait = absolument
truc (*avoir un) = connaître une astuce
*truc = chose

V

va ! : exprime un encouragement
va pour ... = d'accord
*veinard ! = qui a de la chance
verlan = argot qui inverse les syllabes
vieillot = un peu vieux
vouloir bien = accepter
Voyons ! : exprime la désapprobation
VTT = vélo tous terrains

W

wave = sorte de planche à roulettes

Z

*zut : exprime le dépit, la colère.

Index des notions

Index des citations